CONTENTS

PROFILE

◆"スタンド"とは……？

"幽波紋（スタンド）"、それは、特殊な能力を持った者のみに現われる具象現象である。
あたかも守護霊のようにその者につき従い、呼び出すことによって、超能力を発揮する。
スタンドの姿形と能力は、本体となる人間によってさまざまであるが、その姿は、
スタンド能力を持った人間にしか見ることができない。
そして、スタンドを自由自在に操る人間は、"スタンド使い"と呼ばれる。
イタリアのギャング組織「パッショーネ」の一員だったジョルノ、
ブチャラティたちは、自分たちの信じる正義のために、スタンド能力を駆使して
戦い続ける――。

■ジョルノ・ジョバァーナ
ギャング・スターを志す15歳。無生物を生物に変えるスタンド〈ゴールド・エクスペリエンス〉を操る。

■ブローノ・ブチャラティ
元ギャング組織の幹部。あらゆる物にジッパーを付けて空間を開くスタンド〈スティッキィ・フィンガーズ〉を操る。

■グイード・ミスタ
拳銃使い。発射された弾丸を操作する6人組のスタンド〈セックス・ピストルズ〉を操る。

■レオーネ・アバッキオ
元警官。過去の出来事を再生するスタンド〈ムーディー・ブルース〉を操る。

■ナランチャ・ギルガ
血気盛んな17歳。
敵を探知して掃射する戦闘機型スタンド〈エアロスミス〉を操る。

■トリッシュ・ウナ
ギャング組織「パッショーネ」のボスの娘。
秘められたスタンド能力を持つ。

■コニーリオ
ホテルで働く17歳の少女。
ケガや病気を治すスタンド〈ザ・キュアー〉を操る。

■パンナコッタ・フーゴ
知能指数の高い16歳。
殺人ウイルスをばらまくスタンド〈パープル・ヘイズ〉を操る。

ジョジョの奇妙な冒険II

ゴールデンハート／ゴールデンリング

プロローグ

「君は、今回の事件でひどく苦しんだと思う、でも人はすべてを救えるわけじゃない、選択肢は多すぎて、世界はあまりにも複雑だ、どの選択が正しくて、どの選択が間違っているかなんて、僕にも君にも、まったくわからない……」

少年は、ひと息にこう言った。

「ただ、どれだけ酷い目に遭っても、自分で選び取ること、それこそが大事なことなんだ」

てんとう虫の大きなブローチをした、不思議な少年。

その澄んだ瞳を見ていると、彼が本心からその言葉を口にしていることがわかった。

黄金の光。

澄んだ金色の一条の光が心のなかに、差し込む。ジョースター家の者たちが持つ誇り高き血が、確実に彼のなかにも流れ込み、その美しい光は彼女の心にも、大きな波紋を描いた。

「僕たちは、戦いの道を選び取った。でも、僕はそのことを恥じていない。君もそう思ってほしい。本当にそう祈っているよ！」

彼はそう言うと聖堂をあとにし、最後の決戦へと向かった。彼女は、その壮絶（そうぜつ）な決意を彼の後ろ姿から感じ取っていた。

彼の後ろ姿は、これまでに会ったすべての人々より、はるかに神々（こうごう）しかった。

彼の戦いの道は、たぶん、あの黄金の光に導（みちび）かれているのだろう。

そして。

そしてわたしは——。

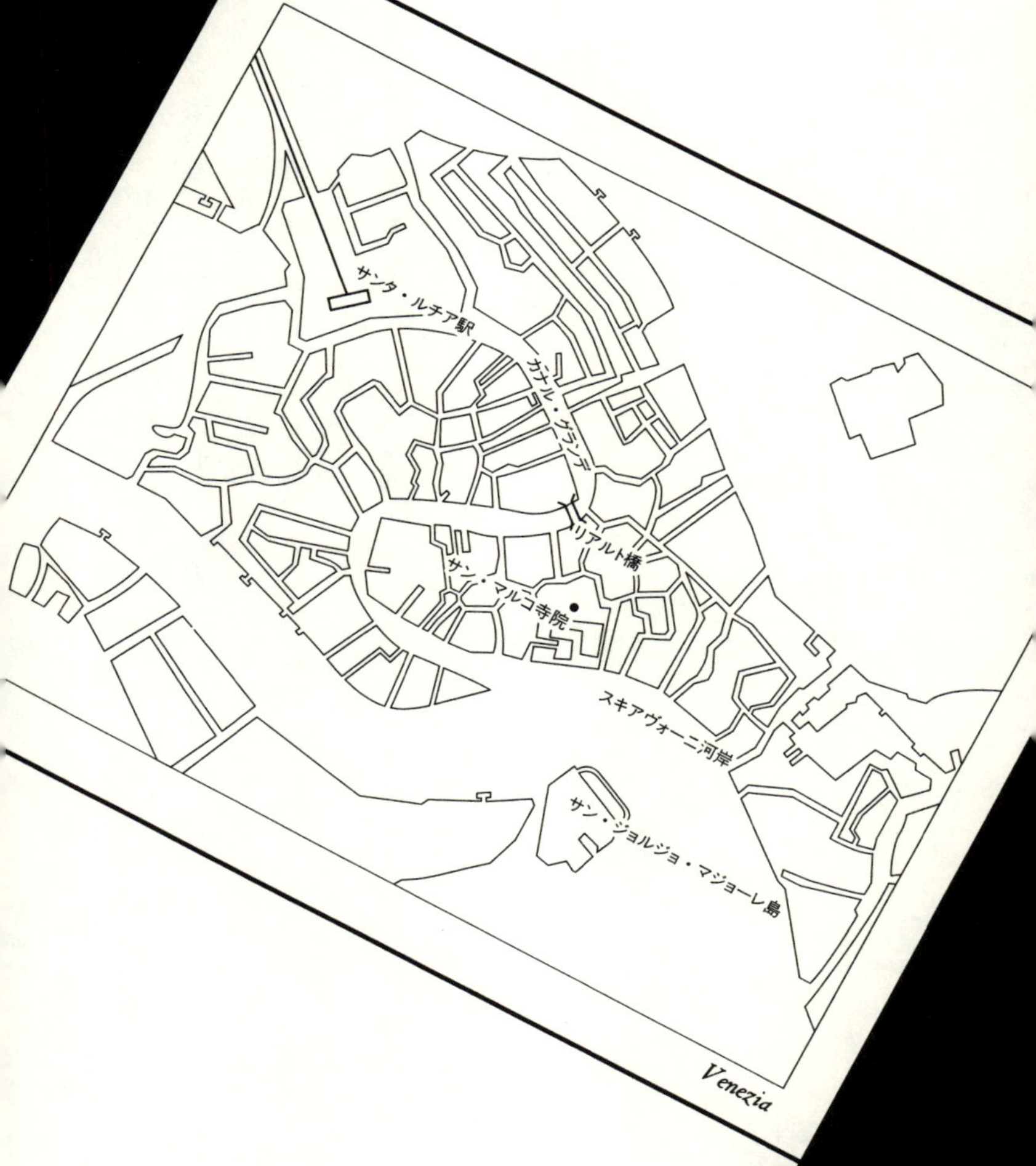
サンタ・ルチア駅
カナル・グランデ
リアルト橋
サン・マルコ寺院
スキアヴォーニ河岸
サン・ジョルジョ・マジョーレ島
Venezia

第1章

宿泊客がチェックアウトしたあとのホテルの部屋は、世界でいちばん空っぽの場所だ。

もみくちゃになったベッド、放り出されたままのタオルやバスローブ、固く閉ざされた出窓と書き散らされたホテルのメモパッド、床に転がったボールペン、泡を立ててシンクに沈んでいる石鹸の匂い……。

ついさっきまで人がいて、でももうその人はこの場所から出ていってしまって、ただ人がいた、その気配だけがぼんやりと空中を漂っている。そんな空っぽの部屋。

そして、少女が窓を開くと、鮮やかな午後の明かりが部屋いっぱいに入り込む。抜けるように青い空。真下に見える海は、緑から淡い水色、ところどころに見える白い斑点、吸い込まれそうに深い青まで、さまざまな色が溶け合って、まるで宝石のようにキラキラと輝いていた。向こうに白く見えているのは、地中海の小さな島々。大きく開け放たれた窓からホテルの前を行き来する人々のざわめきが伝わってくると、ようやく部屋は息を吹き

返す。死人のように青ざめていたアンティークの戸棚やクローゼットが、どこまでも透き通る地中海の光を浴びて蘇(よみがえ)る。

頭に三角巾(さんかくきん)、手には大きめの手袋をはめ、薄い緑色の清掃員(せいそういん)らしい制服とエプロンを身につけた少女は、さっそく仕事にとりかかった。窓の側(そば)を離れると、ベッドに近寄って、薄いオレンジのブランケットを手早く巻きとり、近くの台に置く。次に、その下のくしゃくしゃになった皺(しわ)だらけのシーツを剝(は)ぎ取(と)ると、ステンレスのワゴンに取りつけられた麻(あさ)の袋に放り込んだ。

袋のなかはすでに、何十枚ものシーツの山ができていて、よく見ると、泊り客がこぼしたトマトジュースやアルコール、それにときどき血がついているやつなんかもある。顔を近づけると、人の汗や血や唾液(だえき)の匂い、まるで獣(けもの)のような脂臭(あぶらくさ)い匂いが鼻をついて、なんとも嫌(いや)な気持ちになる。「人間は考える葦(あし)である」なんていうのはまるっきり大嘘(おおうそ)で、人間はやっぱり植物じゃなくて動物なんだな、などと思う。

とは言え、そんなことどうでもいい。

昨日、この部屋でなにがあったかなんて、わたしには関係のない話だし、別に知りたいとも思わない。太っちょの親父——残り少なくなった髪の毛を油でなでつけているような、いかにも中年男が、若い愛人を連れ込んでいろいろといやらしいことに励(はげ)んでいたのかもしれないし、あるいは、日本からやってきた学生風の観光客がロマンチックなバカンスの夜を、安いワインと盛りだくさんの魚介料理で台なしにしたのかもしれない……。

でも、それはそれ。そう考えて、少女は再び作業に戻る。

ワゴンについているもうひとつの袋から真新しい白いシーツを取り出して、ベッドの上に広げると、まず最初は左半分。足元から順に枕元へとマットレスの下に押し込む。そして次に右半分。順番に、順番に。ベッドが終わったら、戸棚や書き物机をてばやく乾拭きして、それからバスルーム。最後に軽く掃除機をかけたら、髪の毛やらキャンディーの包み紙やら、もういらなくなった観光マップとか雑誌、新聞、さまざまなゴミを、まとめてビニール袋に押し込んで、一丁あがり。その繰り返し。繰り返し。

わたしの仕事は昨日や一昨日や先週と同じように、この部屋をキレイに片づけること。それ以上でもなければ、それ以下でもない。

そう少女は思う。

今年の12月で18歳になるコニーリオがホテルの客室係の仕事をすることになったのは、こんないきさつからだった。

ここヴェネツィアに住んでいた彼女の祖母が交通事故で亡くなったのが、つい2か月前

のこと。祖母はまだ60をちょっと越えたぐらいだった。彼女の記憶にかすかに残っている祖母は、オリーブ色に焼けた肌をさらして自宅の窓辺に立っている。ちょっと小太りだけど、いたって元気な老婦人。口元のふくらみや圧倒されそうなくらい豊満な体からは、60歳を越えているにもかかわらず、どことなく女性らしさが感じられて、そうだ、例(たと)えばカルメンがあのままずっと長生きし続けたらきっとこんなふうだったんじゃないかしら、などと思わせる艶(つや)っぽさがあった。

その祖母は、数年前に夫――つまり、コニーリオの祖父を亡くしてからは、この豪華なホテル、ヴェネツィアでいちばん有名なサン・マルコ寺院のすぐそば、地中海を眺めるスキアヴォーニ河岸に建つ〝モンド・アーリア〟というホテルで客室係の仕事をしながら、優雅な独身生活を楽しんでいた。と言ってもそれは、母や祖母の交通事故が起きなければ絶対に会うこともないような親戚から聞いた話で、コニーリオ自身はずいぶん小さな頃に2、3度会っただけなので、よくは知らない。

ところがある日、その祖母が消息を絶った。連絡もなく急に仕事に来なくなった祖母を心配したホテルの同僚が自宅に様子を訪ねてみると、そこはすでにもぬけの空(から)で、とりあえず連絡先として届け出ていたコニーリオの母親のもとに電話がかかってきた。

ローマからヴェネツィアへ。慌(あわ)てて駆けつけてはみたものの、結局のところなにもわからずじまいで、警察は例によってまるで役に立たず、とは言え、近所のおばさんたちの無責任な噂によると、最近新しい男を引っ張り込んでるみたいだったわよ、とか云々かんぬん。あの豊満な体から発せられる息苦しいくらいの女っぽさと言うか、陽気な祖母の姿を思い返すにつけ、ありそうなことかも、などと思った。

心配のあまり、部屋に閉じこもっては泣いているばかりの母親をなぐさめたり、知らせを聞いて駆けつけてきた親戚たちの対応に追われたりしていたある日、祖母が働いていたモンド・アーリアの支配人補佐という女の人が現われた。急に人手が足りなくなり、ホテルは大いに困っている。祖母の代わりに働いてもらえないか、という。肝心の祖母はいつになったら戻ってくるかわからず、家に居てもむしゃくしゃするだけだったコニーリオにとって、それは願ったりかなったりの話ではあった。

そんなわけで「彼女が見つかるまで」という約束で、コニーリオは支配人補佐の依頼を受けた。

いざ働き始めて、コニーリオは意外なことに気がついた。

ベッドメイクをしたり、掃除機をかけたり、テーブルを拭いたり、泊り客の忘れ物をフロントに届けたり、そうしたこまごまとした作業をただひたすら繰り返すこの仕事が、こ

んなにも自分にぴったりだとは思わなかった。

　働き始めてしばらく経つと、基本的なことをひと通り覚え込んで、しかもテキパキと作業をこなす彼女の存在は、もうすっかり主任たちの間にも認められてしまって、どうせローマに戻っても家の手伝いをするか友達と会うか、ファーストフード店のバイトに出掛けるかぐらいしかないのだから、しばらくここに居座っていようか、という気持ちにもなった。

　そうして、祖母の家と祖母の働いていたホテルを往復する生活が始まって1か月、2か月と経ち、少しずつそんな生活に慣れ始めた頃、祖母が死んだという知らせが舞い込んだ。当て逃げにあったのだという。

　同じヴェネツィアのリドという島——世界的に有名な「ヴェネツィア映画祭」の開催地で、自転車で走ってるところを後ろから来た車にはねられたのだそうだ。頭を強く打ってほとんど即死だったらしい。でも、祖母がなぜリドなんかに行ってたのか、事件の詳細(しょうさい)を聞けば聞くほどわからないことだらけで、しかも泊まっていたホテルの宿泊台帳には〝ミスター・アンド・ミセス・ブラウン〟などという、ひと目で偽名だとわかる署名が残されていた。

　つまり、祖母は男と一緒だったわけだ。近所のおばさんたちの無責任な噂もまんざら間違っていたわけではなかったのだが、その肝心のお相手は、警察の捜査にもかかわらずまったく行方がわからなかった。連れが死んだというのに名乗り出ることもなく、もしかしてその〝ミスター・ブラウン〟とやらは詐欺師(さぎし)かなにかだったんじゃないかなんて、これまたハーレクイン・ロマンスにでも出てきそうな薄っぺらな憶測が飛んだりもしたのだが、結局最後まで相手の男の行方は杳(よう)として知れなかった。もしかすると、そんな男なんて最初から存在しなかったのかもしれない。

　いずれにしろ、祖母の遺体がヴェネツィアの実家に運び込まれ、簡単な通夜(つや)が営まれた。母親は一日中泣き続け、ほかの兄弟や親戚たちはワインを飲みながら〝故人の思い出〟なんかをブツブツとつぶやき、そんな彼らの間を右往左往しているうちに葬儀が終わった。憂鬱(ゆううつ)な騒ぎがひと段落したあと、ローマに戻るという母親に対して、彼女は「ホテルの仕事があるから」とただそれだけ言って、ヴェネツィアに残ることにした。

　知り合いの多いローマから遠く離れて、こうして誰も知らないホテルの一室でベッドメイクしている自分を考えると、なんだか落ち着かない、奇妙な気分にもなる。故郷を離れ、祖母の仕事を引き継いで……宙ぶらりんなわたし。

　それでも、楽しい思い出と同じくらい悲しい思い出の多いローマを離れられたのは、やっぱりいまは亡き祖母のおかげだったわけで、感謝しなくてはいけないのだろうな、とも

思った。

スキアヴォーニ河岸に面した部屋の窓からは、地中海が一望できる。海からは、潮の香ばしい匂い——どことなく甘ったるく鼻の奥をくすぐる香りと、海岸に溜まった泥の発する生臭い匂いが交じりあい、青い空のかなたへと吸い込まれていくようだ。耳を傾ければ、すぐ側のサン・マルコ広場に集まる観光客の群れと、彼らに物を売りつけようと近寄ってくる少年たち、そして怪しげなスリや詐欺師たちの声が聞こえてくる。

そんな細やかな音の戯れに、なんとはなしに耳を傾けながら、窓のそばに置かれた鏡台を拭いていると、チクッとした小さな痛みが指に走った。

「痛ッ！」

見ると、右手のひと差し指に小さな木のトゲが刺さっていた。少し血もにじみ出しているようで、慌てて口をつけ、血を吸い取る。時間はもう正午過ぎ。午後の穏やかな明かりに、ぼんやりとしていたのだろうか。口を離し、反対の手で指の付け根をギュッと押さえてなんとかトゲを抜こうとするが、焦れば焦るほど血がドクドクと流れ出し、こめかみが小さく波打つ。額にはじんわりと吹き出す汗。

と、そのとき彼女の右肩から小さな白いウサギが現われた。手のひらに乗るほどの、小さなウサギ……。

いや、それはよく見るとウサギではない。なにか白い毛むくじゃらの丸いもの。しかも一見白く見える体毛は、ところどころ金色に光っている。小さな体に不釣合いなほど巨大な耳は、まるで触角のように絶え間なく動きまわり、コニーリオの肩や頭、腹からお尻(しり)を丹念に愛撫(あいぶ)しているようにも見える。そして、何よりも普通のウサギと違うもの、それは色違いの瞳(ひとみ)だった。

右目はルビーのような深い赤、そして左目は金に近い薄い色をしていて、右目に較(くら)べるとやや小さい。その両目のちょうど中間のところには、小さな青い宝石がはめ込まれていた。同じような宝石が、両手の甲と巨大な耳の先にもついているのが見える。それらの青い宝石は、ゆっくりとしたリズムで自(みずか)ら光っているようだった。

「あっ、〈ザ・キュアー〉!」

彼女が声をかけたかかけないうちに、〈ザ・キュアー〉と呼ばれたその白いものは、鼻をひくつかせながらトゲの刺さった指を舐(な)め始めた。とすぐに、嘘のように傷口が閉じ始め、そして〈ザ・キュアー〉は小さなトゲを小さな口からペッと吐き出すと、コニーリオの足元にうずくまった。

指の傷はすっかり治っている。さっきまでトゲの刺さっていた指の先は、なぜかぼんや

りと暖かく、コニーリオはそこをゆっくりとさすりながら、まるで懐かしい旧友に会ったときのように〈ザ・キュアー〉に声をかけた。

大きな両耳を猫のようにゆったりと揺らしながら、〈ザ・キュアー〉は床に座り込んだコニーリオの膝（ひざ）の上で、気持ちよさそうに目を閉じていた。

「前よりも少し大きくなったみたいね」

コニーリオが背中を撫（な）でながら話しかけると、立てていた大きな耳を顔の前に垂らし、相槌（あいづち）をうつようにクンクンと鼻を鳴らす。耳の先についた宝石が擦（こす）れあうたびに、カチリカチリと小さな音が響き、それがなんとも言えず心地いい。

そうして〈ザ・キュアー〉の背中を撫でているコニーリオは、部屋に誰かがやってくる気配を感じて、あわてて立ち上がった。

「なにサボってんだ、コニーリオ。もうすぐ、チェックインが始まっちまうぞ」

モンド・アーリアの厨房（ちゅうぼう）で働くコックのレオーニだ。このホテルで働き始めてもう10年以上になる彼は、最近、なにかにつけて彼女に誘いをかけてくる。正直、あまり乗り気ではない――彼が嫌いというわけでは決してなくて、コニーリオはなんとなく人づきあいが苦手で、余計な心遣（こころづか）いですぐにへとへとになってしまうのだが、こうして仕事をしている

以上、いろんな人とつきあっていかざるをえないわけで……実際のところ、今夜、彼とデートの約束をしていた。レオーニは、きっとなかなか下に降りてこない彼女の様子を見に来たのだろう。

「わかってる！　今日はこの部屋が最後だし、あとはワゴンをリネン室に持ってくだけ。10分くらいで行けると思うから、少し待ってて……」

「まったく。いくら仕事に慣れてきたからって、そんなに露骨にサボってちゃ、バアさんたちに告げ口されちまうぞ」

「わかってるって」

「しょうがねえなぁ。俺も夕食の仕込みがあるから、先に下に行ってるぞ」

バタバタと清掃用具をワゴンに突っ込み、部屋に鍵を掛けると、先に部屋を出て、エレベータを待っているレオーニにようやく追いついた。

「じゃあ、今夜8時。絶対、来てくれよな」

息を切らして追いかけてきたコニーリオに笑いかけながら、レオーニはそう念を押した。

しかし、そんな彼には、コニーリオの足元を駆けまわっている〈ザ・キュアー〉の白い姿は見えていない。

＊

コニーリオには、小さな頃からひとつの能力が備わっていた。触った相手の〝痛み〟を吸収するという不思議な能力。その能力の源が、この〈ザ・キュアー〉だった。

彼女が〈ザ・キュアー〉の存在に気づいたのはいつのことだったろうか。小さな頃のコニーリオは、街中を走りまわり、近所のいじめっこやガキ大将たちと喧嘩を繰り返していた。きっかけはほんのささいなこと。誰かが誰かをいじめた、誰かの大切に飼っていたニワトリを誰々が盗った、エトセトラエトセトラ。子供なら誰でも一度は経験する小さな揉めごとだったが、そこには不思議とコニーリオの姿があった。揉めごとが大きくなり、誰かと誰かが殴りあいを始め、そして、そのなかにいて、最後まで意地を張り通していたのも彼女だった。彼女は喧嘩で負けたことがなかった。

体の大きな男の子たちは、鼻血を出しながら自分の親に「コニーリオがまたいじめる」と訴えた。母親は、押しかけてくる近所の人たちに謝って歩いた。

「ほんとに男勝りなんだから、いったい誰に似たのかしら」

コニーリオは、よく母親にそう嘆かれたけれど、なぜか怪我をして家に帰ってくることはなかった。いや、腕っぷしの強い男の子たちに鼻を殴られ、髪をつかまれ、膝が擦りむ

けるほどひきずられることもあったし、買ってもらったばかりのピンクのワンピースをボロボロにして帰ってくることもあった。しかし、病院に駆け込まなければならないような怪我はもちろん、家に戻る頃にはかすり傷ひとつ残っていなかった。

彼女の怪我を治したのは、いつも彼女の側につきそっている不思議なウサギだった。まだあどけなさの残る彼女の顔についた擦り傷や、鳥の巣のようにくしゃくしゃになった髪のあいだから脹れあがっている赤いコブを、そのウサギが小さな口で舐め取ると、不思議と痛みはなくなり、ザックリと割れた膝の傷もきれいさっぱりと消えてしまった。

そんなふうにして、コニーリオと〈ザ・キュアー〉は、ふたりだけの秘密の時間を共有していった。友達にも言えないような悩みを、その赤と金色の瞳に向かって打ち明けると、重荷が取れたように体が不思議と軽くなり、「この子は、きっとなんでもわかってくれるんだ」とさえ思うようになった。次第に彼女は友達とつきあう時間が短くなっていき、家にこもっていることが多くなっていった。

もちろんいままで通り、一緒にままごとをしたりゲームをしたり、あるいは近所のデパートに買い物に行く友達はいたし、男の子たちとの派手な喧嘩も決してなくなってしまったわけではなかった。でも、なにより彼女のいちばんの友達は、この〈ザ・キュアー〉という不思議な白いもので、〈ザ・キュアー〉は彼女だけの宝物だった。

そして近所の悪ガキたちは、どれだけひどく痛めつけても、ケロリとした顔ですましている彼女を〝不死身のコニー〟、そう呼ぶようになる。

＊

「もうみんな、先に行っちゃったわよ」

コニーリオが従業員用の控え室に入っていくなり、先に着替えを終えたウィノナがそう声をかける。

ウィノナはヴェネツィア大学の2年生。アメリカから来た交換留学生だという。このモンド・アーリアで、コニーリオと同様、客室係の見習いをしていた。いわゆるアルバイトのようなものだったけれども、父親がここの支配人だかオーナーだかと昵懇の仲だともっぱらの噂で、いくつかのフロア清掃を取り仕切るマネージャーのような立場だったりもする。

コニーリオよりも4つ年上だったけれど、ウィノナはまるで友達のように気軽に声をかけてくれ、どちらかと言うと人づきあいの下手な彼女に、ホテルの仕事のあれこれを教えてくれた——と言っても、仕事でいちばん大切なのは、なにはともあれ職場の同僚たちと

の人間関係だというのがウィノナの主張で、実際、誰がいちばん口うるさくて、誰がいちばん意地悪で、誰と誰が仲良しで……などなど、そんなどうでもいいと言えばどうでもいいことをこと細かに教えてくれる、そんな先輩だった。

　ウィノナは、大学では文学を専攻しているという。たまにふたりで食事をすると、イタリアやフランスの文学者の名前や書名が、さりげなく口にのぼる。普段読む本といえばマンガかアイドル雑誌ぐらいのコニーリオにとっては、ウィノナの話のなかに出てくる名前は、ひとつも知らないか聞いたことがある、くらいのもので——こう言うと、同僚の悪口ばかりを仕入れてくる、頭がいいだけがとりえの口うるさい女のような印象を受けるかもしれない。実際のところ、職場におけるウィノナの評判は決して芳しいものではなくて、トレードマークの分厚いメガネを指して、〝身持ちの固いアメリカ女〟〝目が4つあるメガネ女〟なんて陰口を叩く連中もいる——それはたぶん、彼女が父親のコネでいまの仕事を手に入れたということと関係があって、みんなはそれを妬んでいるのだろう。

　ちょうどいまのように、仕事が終わったあと、ウィノナと話すのをコニーリオはなによりも楽しみにしていたし、職場のグチを言いあうときも難しい文学の話をするときも、ウィノナの英語訛りのイタリア語はなんにも変わっていないし、そこが素敵だった。その言葉の端々からは、才気のキラメキというか頭のよさがこぼれ出ているようで、なんだかとっても羨ましい。単純に言ってしまうと、コニーリオはウィノナに好意を抱いていたのだ。人づきあいの下手なコニーリオにとっては、本当に珍しいことだった。

「ねえ、コニー」

そう言って、ウィノナは黒縁のメガネを指にひっかける。メガネを外した彼女の顔は、まるでハリウッド映画の女優さんのように整っていて、その事実に初めて気づいたときには結構驚いたものだ。

「結局どうするつもりなの？」

「どうするって、なにを？」

作業着を脱ぎながら、コニーリオは訊き返す。

「なに、トボけてんの」

「トボけてなんかないけど……」

「やだなあ、レオーニのことだよ。今夜デートの約束してるんでしょ？」

「デートだなんて……、そんなのじゃないよ」

「なにも隠さなくたっていいじゃない。でも、アイツ、ちょっと気をつけた方がいいかもしんない。この間、ローマ広場で知らない女と待ち合わせしてるのを見たって、クラウディアも言ってたし」

「………」

「ま、イタリア男なんて、みんなそんなもんかもしれないけどね」

「……うん」

レオーニくらい格好よければ、つきあってる女の子がいても当然。わたしのことが本当に好きかなんて、わかったもんじゃない。そう……もちろんそうだけど。そう思いながらも、やっぱりコニーリオは納得がいかなかった。わかってたことだけど、でも……。

「そう、暗い顔しないで」

心配そうに、ウィノナが言う。そう思うならわたしに忠告なんてよしてよね、そう思わずにはいられないけれど、それを口に出すことはできなかった。

「……悪かったわよ、ほんとにゴメン。そんなにレオーニが好きだなんて……」

「ううん、レオーニは関係ないの」

「ゴメン」

「謝んなくったっていいって」

「でも……」

「大丈夫、うん、大丈夫だから」

コニーリオの顔をじっと見つめていたウィノナが、ふいに口を開いた。

「じゃあ、せっかくのデートをぶち壊しちゃったお詫びにさ」

そう言って、顔を伏せる。

「おごるわよ、今夜の食事」

「えっ？」

「いいって、いいって。おごる、おごる」

照れくさそうに言うウィノナを見て、コニーリオはちょっと嬉しくなった。

＊

モンド・アーリアは16世紀に建てられた建物で、以前はヴェネツィアに代々続く名家の別荘だったという。それをオーナーが買いとり、ホテルに造りかえたのが、１００年ほど前。何度も改装に改装を重ねられた室内は、シャワールームがあったり、あるいはミニバーがあったりと今風に造りかえられている。しかし、室内はとても落ちついた雰囲気で――使い勝手のいいアンティークな家具やベッド、それにスキアヴォーニ河岸に面した部屋には豪奢なテラスが設けられ、反対の運河に面した側にはゴンドラを横づけできる小さなボート乗り場もある。

１階には、レオーニが勤めているイタリアンレストランが入っていて、味は観光客向け

のそこそこのものだけれど、河岸から射し込む地中海特有の明るい日差しに照らされながらヴェネツィア産のワインを楽しむのは、決して悪いものではなく、それよりなにより落ちついた雰囲気が人気を呼び、さまざまなガイドブックのおすすめリストに並んでいる。

　河岸に面した正面入口から中に入ると、まず目に飛び込んでくるのは、3階まで吹き抜けになった広々としたロビーだ。あちこちの壁には、何代にもわたってコレクションされてきたフレスコ画や油絵がずらりと飾られ、〝古き良きヨーロッパ〟の雰囲気を醸(かも)し出(だ)している。黄色がかった柔らかな明かりが、肌に吸いついてくるような薄闇(うすやみ)のあちこちを明るく照らし出し、床から生えたように延びる白い大理石の石柱がちょうどいいアクセントになっている。その柱の間を2、3歩進むだけで、礼儀正しいボーイたちが待ってましたと言わんばかりに出迎えてくれるはずだ。

　ボーイたちに荷物を渡して、そのまま通路をまっすぐ進めばホテルのフロント、右へ折れるとレストラン、そして左へ入るとちょっとした待ち合わせなんかに使われる、小さなカフェに行くことができる。コニーリオは、いま、このカフェで、近くの郵便局に手紙を出しにいっているウィノナの戻りを待っていた。

　今夜のデートを断ると告げられたレオーニの顔は、相当な見ものだった。思ってもみなかったという驚きと、理由が皆目見当がつかない当惑、そして哀願と理不尽な怒り。それらがないまぜになったレオーニの表情を見て、正直、コニーリオは悪いことをした、と反省した。いくらウィノナに焚きつけられたからと言って、こんな突拍子もない行動に出るとは。いつもとはまるで違う、自分の決断の早さに心底驚きながら、コニーリオはこう言った。

「ごめんなさい、レオーニ。わたし、今夜、急用ができちゃったの」

「いや、別にいいんだ。また機会があるだろうし。な？」

そう言いながらも、まだ納得がいかないレオーニを厨房に残して、待ち合わせのカフェに向かう。

なんだか、今日のわたしはいつもと少し違うみたいだ。なぜだろう？　もしかして、この小さなウサギ――〈ザ・キュアー〉のせいなのだろうか？

カフェで唯一飲めるカプチーノ――ほかの飲み物はオレンジジュースにしろ、アルコール類にしろ、ひどい味で飲めたもんじゃない――に口をつけながら、コニーリオは次々とやってくる客の流れをぼんやり見つめていた。彼らはきっとこのあと、フロントで渡された金のキーを差し込み、窓を開けると目の前に広がっている地中海の眺めに思わず息を呑

んだりして、そして夕暮れの街に繰り出しては、今日も今日とて騒ぎ歩く大学生たちに混じってヴェネツィアの夜を満喫し、そして、すっかり出来あがった体をわたしのつくったベッドに横たえる。

その光景を思い描いて、コニーリオはホッとため息をつく。もしかして彼女がこのアルバイトを続けているのは、観光客たちのそうした空騒ぎが羨ましいからかもしれなかった。

そのときだった。ロビーの様子がおかしいことに気づいたのは。

最初はなにがおかしいのかわからなかった。いつもと変わらぬホテルマンたちのきびきびとした動き、重い荷物を抱えて入口から入ってくるお客たち、彼らの体から立ち昇る潮くさい匂い。その雑踏のなかにひとり、ひどく目立つ少年がいた。

身長はわたしより頭ひとつ大きいくらい……そう、175センチ前後だろうか。風に吹き荒らされたあとのようにあちこちに突き出した金色の髪を、無理矢理櫛で撫でつけたような奇妙な髪型。水玉模様のようにあちこちに穴を開けたモスグリーンのスーツを素肌の上にひっかけ、大きくイチゴの柄の入った紺のネクタイ。いかにも誰かを待っているかのようなリラックスした雰囲気を漂わせてはいたけれど、その上品な顔立ちのなかで目だけが異様に鋭く光っている。

と、その少年は、彼女の視線に気づいたようにふとこちらを見ると、やわらかな笑顔を投げかけて近づいてきた。

「そこの彼女！」

妙に快活な声をかけられ、コニーリオは戸惑った。さっきまでの、そう、まるで辺りを窺っているかのような様子とはまるで違う、爽やかな面持ち。この人はいったい誰なんだろう？

「いやいや、ちょうど友達と待ち合わせをしてるんだけどさ」

そう言う彼の口元から、爽やかなミントの香りがする。

「時計を忘れてしまって、時間がわからないんだ」

「ああ」

そう言って、彼女は腕時計を見た。

「……ちょうど2時前ですね」

「そっか、ありがとう」

礼儀正しく頭を下げると、ふたたびさきほどの場所に戻っていく。ふいに消えるミントの匂い。去っていく彼の姿を見ていたときに、急に寒気が背筋を走った。

なに!? 初めはなにが起こったのかわからなかった。少年の背中から、突然紫色の巨大な煙が立ち昇り、みるみるうちに形をとり始める。

紫と黒の格子模様が刻まれた体に、中世の鎧のような仮面を被った顔。そして、両手の拳には、禍々しい辛子色のカプセル。まるで少年につきしたがう獣のような怪物。その姿を目にしたコニーリオは、ふいにめまいを起こしそうになり、思わずテーブルに手をつく。危ない、なにかとてつもなく悪いことが起きそうな気がする。

微動だにできずただ見つめ続ける彼女に気づいたように、少年はこちらを一瞥すると、大きくゆっくりと右手をあげた。

「なに、ぼんやりしてんのよ！」

突然背中を叩かれて驚いたコニーリオは「きゃあッ！」と小さく悲鳴を上げ、椅子から転げ落ちそうになった。振りかえると、ようやく郵便局から戻ってきたウィノナが笑っていた。

「ごめんごめん！　でも、そんなに驚かなくっても……」

「あ、あそこ……」

少年を指差すコニーリオ。

「なになに？　レオーニの代わりでも見つかったの？」

目を動かしながらそう笑ったウィノナの笑顔を、コニーリオはこれから一生忘れること

はなかった。

足元からドンという鈍い響きが伝わってくるのと、ホテル中の電気が一斉に消えたのは、ほぼ同時だった。どこかでガラスの割れる音、男たちの怒声、絹を裂くような悲鳴……。穏やかな陽気に包まれたモンド・アーリアのロビーは、一瞬にして暗闇と化した。

「コニー！」

すぐ近くでウィノナの声がする。

「ウィノナ！」

「ああ、コニー！」

声の方へ手を伸ばすとすぐに、ウィノナの腕に手が触れた。

「大丈夫？」

「あ、あ、あっ！」

「どうしたの！　大丈夫、ウィノナ!!」

慌てて椅子を下りると、すぐ横に立っていたウィノナの体を探り当てる。

「熱い！　体が熱いのよ!!」

コニーリオの手が、なにか生温かい物に触れた。ヌメッとした感触。

「ど、どうしたの、これはなに⁉」

そう叫んだとき、再び明かりが戻った。

コニーリオは目の前の光景が信じられなかった。

ひどく脹れあがった腕、体のあちこちに走る青黒い筋。唇が捻じ曲がり、巨大なコブに覆われた顔。あまりのグロテスクな姿に、思わず手を離しそうになる。目の前の怪物はウィノナだった。

「熱い、熱いっ‼ 助けて！」

暴れまわる手が顔に出来たコブをつぶし、なかから青い液体が飛び出す。しかし、ウィノナはそれにも構わず、体中を掻き毟った。掻くたびに、皮膚は紙でも破るようにあっさりとちぎれ、魚の腐ったような悪臭を立てながら肉が剝げ落ちてゆく。

「な、なに⁉ なんなのこれは！」

血はすでにドス黒い流れとなって、体のあちこちから吹き出していた。しかも奇妙なことにその黒い流れは、空気に触れるやいなや、紫色の煙となって空中に立ち昇り、消えていく。

体のほかの部分も同様だった。唖然とするコニーリオの前で、腐り始めていた右足が根

元からゴロリと転がり落ちた。バランスを崩したウィノナの体が、スローモーションを見ているかのように、ゆっくりと床に向かって倒れ込んでいく。まるで地面に祝福のキスをするかのように、まっすぐ一直線に。

慌てて側の椅子をつかもうとしたウィノナの手が、パキッと乾いた音を立てて手首のところで折れた。もう片方の手が、なにもない空間をつかもうと必死にふりまわされる。そのうちに、テーブルにでもぶつけたのか、指がパキッと音を立ててちぎれ飛び、コニーリオの顔にペタリとくっついた。

「きゃあああ」

顔についたウィノナの指を、慌てて拭い去る。拭った手を見ると、そこには青黒いゼリーのような液体がべっとりとついていた。その液体は、まるで生ゴミが腐ったような甘ったるくて気分が悪くなるような不快な匂いを立てている。

床に倒れたときの衝撃のせいだろうか、ウィノナの首はぐにゃりと奇妙な角度に曲がってしまっていた。べたりと頰を床にくっつけている顔。しかし首から下は、まるで床から生えたように天井に向かってバタバタとあがきつづけている。

「ゴォニィ！　ゴォニィ！」

首が折れてしまったせいか、うまく友人の名前が呼べないウィノナを前に、コニーリオはなにもできず、ただじっと座り込んでいた。彼女の膝の側には、いつの間にか〈ザ・キュアー〉が再び現われていた。

ウィノナの顔は、みるみるうち萎み、皺だらけになり、口や耳、鼻、目、ありとあらゆる穴から、紫色の煙が漂い出す。肉がどんどん削げ落ちる。ただ骨と皮だけになりつつある友人を、コニーリオは呆然と見つめていた。

と、彼女の手がすぐ側の〈ザ・キュアー〉の背中に触れる。

そうだ。〈ザ・キュアー〉の力を使えば、もしかすると……。もしかすると、ウィノナを救うことができるかもしれない！　でも……。

ほんのわずか躊躇していた間だった。先ほどまで暴れまわっていたウィノナの腕がピタリと止まり、そうかと思うと力なく床に落ちる。ドスンという重く鈍い音。

「う、う……」

最後の力を振り絞り、声をあげようとしていたウィノナの体が、突如グズグズと崩れ始めた。まるで、早回しのビデオのように彼女の体から一斉に吹き出す紫の煙。

「あああああああああああああああああああッ」

コニーリオは誰かの悲鳴を聞いていた。すべてを呪うかのような、悲しみに満ちた怒りの叫び。その声をあげていたのは、ほかならぬコニーリオ自身だった。

彼女を責めるのは簡単だろう。しかし、このときの彼女は、あまりにもいろいろなことを知らなすぎた。

*

金髪の少年の名前がパンナコッタ・フーゴであることも、彼の背後に現われた紫色の怪物〈パープル・ヘイズ〉のことも。

それが〝幽波紋〟と呼ばれる強い生命エネルギーを持つ、選ばれた人間だけが生む具象現象であることも。

「生命エネルギー」の具象化。明確な姿と能力を持って発現するその存在——スタンド。

その存在を彼女はまだ知らずにいた。

そして彼女自身の〈ザ・キュアー〉もまたスタンドであり、「スタンド使い同士が惹かれあう運命」であることも知らずにいた。

彼女はなにも知らなかった。しかし、運命の歯車はこのとき、確実にまわり始めていた。

interlude

その少年は、ゴミゴミとしたヴェネツィアの裏通りを歩いていた。一見、頼りなげに見える華奢な体つき。しかし、その瞳は油断なく辺りを窺っている。

ホテルでコニーリオに声をかけ、そのあと、ふいに姿を消した謎の少年、パンナコッタ・フーゴ。彼はいま、サン・マルコ広場裏に建つ、ある建物に向かっていた。ゴミゴミと茶色の古い建物が並ぶその一角に、このヴェネツィアを仕切るギャング団の根城はあった。

ワイン貯蔵庫を改造したと思われる地下の部屋。改装を施している最中なのだろう。部屋のあちこちにはセメントの袋や大きなシャベル、つるはしなどの工具が乱雑に放り出されている。

狭い通路を通り抜け、その一室に通された彼は、いま、ひどく背の小さい男と向き合っていた。

「最初にしては、お見事、と言っていいんだろうな」

ひどく皮肉な調子で、背の低い男はつぶやく。すでにかなりの齢(とし)なのだろうか、声は低く、ややもするとそのつぶやきは宙に消え去ってしまいそうだった。部屋は、いくつかのろうそくが点(つ)けられているだけでひどく薄暗い。何年、何十年にわたって積もり続けた埃(ほこり)が、部屋の隅で曖昧(あいまい)な闇(やみ)を吹き寄せている。

その闇の向こうから男が再び口を開いた。

「しかし、これで組織がキミを認めたわけではない。それはわかっているだろう」

男の言葉に、少年はうなずいた。

「最終目標はただひとつ……」

「…………」

どれほどよく目を凝(こ)らしても、闇に吸い込まれるような男の顔はよく見えない。ろうそくの明かりも、男の顔を照らし出さないように巧妙に配置されているようだ。

どんな表情で話しているのか、フーゴはそれを見透(みす)かそうとするかのように、じっと相手の方を見つめていた。

「目標はひとつ、ブチャラティの首だ。ボスはそれしか願っていない。それはよくわかっているだろう……、裏切り者のフーゴ」

パンナコッタ・フーゴは、ブチャラティが率いるグループの一員だった。

ネアポリスの裕福な家庭に生まれた彼は、IQ152という驚異的な知能を持つ天才児だった。周囲からの期待を一身に背負った彼は、13歳のときに大学に入学する。

この頃のフーゴの記憶は曖昧だ。父の膝の上で遊んだこと、優しく勉強を教えてくれた母。上流家庭の優雅な雰囲気のなかで、たぶん彼はただ周囲に流されていた。まわりの人々の要求に応えるばかりで、自分の意見を持つことのなかった少年……。

いや、世界中の多くの人はみな必ず、そんな子供時代を過ごしているのだ。彼が特別だったわけではない。お金持ちの息子も貧乏な家の子供も、母親のいない子供も、孤児院で育った子供も。みんな〝自分〟を見出すことなく、ただ漫然と子供であることを受け入れている。

初めての反抗は、その大学での出来事だった。元々、短気のきらいのあったフーゴはほんのささいなことに激怒し、ひとりの教師を百科事典でメッタ打ちにした。その教師は、全治数か月という重傷を負った。当然のごとく、フーゴは放校処分を受けた。

それ以来、フーゴは突然キレるようになった。

両親は、息子をなんとか復学させようと彼を説得し続けた。しかし、なにかあるたびにフーゴは暴れた。誰の手にも負えなかった。母親が「元の生活に戻っておくれ」と涙を流

し、訴えるたびにフーゴの心は痛んだ。だがキレた自分をどうすることもできなかった。友達はもう誰もいなくなっていた。

気がつけばギャングたちとのつきあいが始まり、家にはまったく寄りつかなくなった。

ギャンググループに出入りするようになったフーゴは、しかしその凶暴な性格ゆえに、多くの仲間たちから煙たがられ始めた。突然キレては、喧嘩（けんか）相手を半殺しにするフーゴの悪名は、ネアポリスのギャングたちに知れ渡る。

恐るべき知性と、それを覆（くつがえ）そうとするかのような激しい気性（きしょう）。そのあやういバランスのなかで〝自分〟を見失い、そのことに対する焦（あせ）りが再び彼を暴力に走らせる。組織の厄介（やっかい）者（もの）になり始めていたフーゴ。

その彼を拾ったのが、ほかならぬブチャラティだった。

しかしいま、フーゴはブチャラティのもとを離れていた。

彼の身になにが起こったのか、それを話すのはもう少し後のことになる。

第2章

ヴェネツィアはイタリアの北東、よく喩えられるようにイタリアを〝ブーツ〟と見立てると、ちょうどふくらはぎの上、膝の内側に位置する都市である。周囲をラグーナと呼ばれる干潟に囲まれているこの街は、地中海貿易が盛んだった14、15世紀の面影を色濃く残したさまざまな建物や教会、そして市内をまるで迷路のようにくまなく流れる運河によって、独特のエキゾチックな魅力を放っている。

街の北西から中心部を通って南東へ、Sの字を逆にした形に〝カナル・グランデ〟と呼ばれる大きな運河が流れており、そのほぼ真ん中にリアルト橋という全長28メートルもの巨大な大理石造りのアーチ橋がかかっている。このリアルト橋の周辺は、ヴェネツィアのなかでも一、二を争う賑やかな地区で、橋の上には、金細工やレース、革製品や有名なヴェネツィアングラスを並べた土産物屋が立ち並び、多くの観光客が集まる名物スポットだった。

今日もまた、大変な人出だ。小金をバラ撒いてくれるありがたい観光客たちと、その懐を狙う怪しげなスリたち。運河のところどころに溜まった泥水からは、絶え間なく潮の甘臭い匂いが漂い、それが屋台の揚げたてのソーセージやビール、道端に放り出された腐りかけの野菜の匂いと交じりあう。

ありとあらゆるものが、いつもと同じだった。

ただひとつを除けば——。

リアルト橋に通じるメインストリートを南に向かってしばらく進み、教会のある小さな広場を左に折れる。そこからさらにいくつか裏道を抜けたところに目的の場所はあった。まるで迷路のように入り組んだヴェネツィアの街路は、通りを1本裏へ入るだけで、まるで違った様相を見せる。埃っぽいゴミゴミとした土色の建物。その群れのあちこちには、むき出しに放り出された野菜屑や骨のついたままの屑肉が山のように積まれている。ガリガリにやせこけた老犬が1匹、そんなゴミの山に鼻をつっこんでいる。

一見、スラムのようにすら思える光景だが、決して珍しいものではない。観光客たちの嬌声を離れて、一歩ヴェネツィアの裏道に入ると、こうした誰の目にもつかない、いわば隠れ家のような場所があちこちにあった。

その一角に、モスグリーンの扉が見える。とは言え、ペンキはあちこちが剝がれ落ちており見るも無残な姿を晒している。表の看板には〝リストランテ〟と書いてあるから、きっと食事を出す店なのだろうが、まるでそうは見えない。何年も替えられていない窓ガラス、黄土色に変色しところどころ歪んでいる窓ガラスから店内を覗くと、奇妙な――いやむしろ、こうした場末のレストランにはお似合いなのだろうか――男たちの一団が店の奥に陣取っているのが見えた。

怪しげな面持ちの男が3人、それに右手に年老いた亀を抱えたどこかあどけなさの残る少年。どこをどう見ても地元の住人とは思えないが、かと言ってバカンスを過ごしにやってきた観光客にも見えない。いや、イタリアの事情にちょっと詳しい人ならすぐに気づくかもしれない。そう、彼らはギャングだ。ネアポリスを根城にするギャンググループ、情熱という意味の名前を持つ〝パッショーネ〟の構成員だった。つい2、3日前までは。

今年20歳になる黒髪の青年、ブチャラティは巨漢の幹部ポルポの部下だった。しかし、ある事件からポルポが死去。6億にものぼる彼の遺産を組織に納めたブチャラティは、代わりにパッショーネの幹部の地位を手に入れた。それにともない、生前ポルポが治めていたネアポリスの利権――賭博およびスポーツ賭博の営利権から密輸品の管理、レストラン

やホテル、高利貸しの支配権にいたるまで、莫大な金と権利が譲り渡される。

そしてもうひとつ。ポルポがやり残したある「仕事」も、ブチャラティは譲り受けていた。ポルポが死ぬ直前、パッショーネのボス自らが出した「指令」。それは、ボスの娘、トリッシュ・ウナを無事、ボスのもとへ護送することだった。

護送は特殊な能力を持つブチャラティをもってしても困難を極めた。

ブチャラティはスタンドの使い手、つまりスタンド使いだった。


パッショーネほどの大組織になれば、当然のごとく裏切り者やその巨大な権益をつけ狙う者が現われる。今回のターゲットが、ボスの娘――謎に包まれたパッショーネの最高権力者のたったひとりの肉親というだけあって、そうした裏切り者たちにとっては、これ以上ない獲物であることは間違いなかった。娘を誘拐し、ボスの正体を暴き出す。ただそれのみが彼らの狙いだった。

次々と現われる裏切り者グループの刺客たち――〈ホワイト・アルバム〉や〈マン・イン・ザ・ミラー〉、〈トーキング・ヘッド〉などなど、彼らの執拗な妨害を振り切り、ボスの命令通り、なんとかヴェネツィアまでやってきたブチャラティたち。だが、最後の目的地サン・ジョルジョ・マジョーレ島で彼らを待ち構えていたのは、恐るべき事実だった。

ボスの狙いはただひとつ。

わが娘、トリッシュの死。

自らの正体を知られることを怖れたボスは、その手がかりとなる自分の娘を、ほかでもない自分の手で殺害することを望んでいたのだ。

保身のためなら、なにも知らない肉親を殺すことさえ厭わない。そんなボスの態度に、ブチャラティは怒りを爆発させる。それはすなわち、組織への〝裏切り〟を意味した。

果敢にもボスへと戦いを挑むブチャラティだが、ボスの使う強力なスタンド――世界から数十秒だけ時間を消し去り、そのなかを自分だけが移動することで、未来を垣間見ることができる〈キング・クリムゾン〉のスタンド能力の前に、完膚なきまでに打ちのめされる。仲間たちの援護を受けて、かろうじて戦いから離脱したブチャラティだったが、しかしそれは、新たなる闘争の幕開けでしかなかった。

組織が繰り出してくるはずの新たな追手を振り切り、いかにしてヴェネツィア――この呪わしき島から脱出するか。その方策を練る一行だが、時間は無為に過ぎていくばかりだった……。

*

「アバッキオさー、『スーパーマリオ』ってTVゲーム、知ってる?」

テーブルの上に並べられた空になったワインの瓶。ヴェネツィアの名産である魚介類を使ったリゾットやアンチョビのソースで仕上げたピゴリと呼ばれるパスタ、イワシのマリネやサラミなど、見ているだけで涎が出そうになる料理が食い散らかされている。

「えぇーっ、知らないの! 世界中でヒットしたTVゲームなんだぜ!? まぁ、いいや。その『スーパーマリオ』の主人公がさ、マリオっていうイタリア人で……」

そう話しているのは、ちょっと生意気そうな顔立ちの少年。名前はナランチャ・ギルガという。くっきりした目に、ツンととがった鼻。いつも唇をつきだしている口元。腕をむき出しにした黒の短いタンクトップに黒いパンツに、黒く尖った靴。彼のトレードマークとも言えるこの靴には、大きな金の輪っかがつけられている。黒でまとめたファッションにワンポイントを与えているのが、腰のところに巻きつけられた格子模様の鮮やかなオレンジの布。そして膝の上には大事そうに亀が抱えられている。落ちつきなく体を動かしている様子は、まだどこか幼さを感じさせるが、ブチャラティにとっては、なくてはならないメンバーのひとりだ。

「でさ、いかにもって口髭を生やしてるんだけど、なんかすっげー似てるんだよ」

「?」

「倉庫のマリオさん、だよ!!」

「…………？」

「わっかんないかなー」

「バカなこと言ってんじゃねえぞ、てめえは」

「ほら、ネアポリスで使ってた倉庫があるだろ、あの港んとこの！　そこで警備員やってたマリオ・セガーリのジジイにそっくりなんだよ！」

　自分の発見に興奮しているのだろうか、ナランチャは激しく体を揺すりながら、隣の金髪の男に話しかける。パスタを巻きつけたフォークを大きくふりまわしているので、テーブルクロスのそこここにアンチョビソースの汁が飛び散る。それを見て、相手の男は大きく顔をしかめた。

「…………」

「な、似てない？　似てない？」

　体を乗り出すナランチャ。その衝撃で、テーブルの上に置かれたワイングラスがガタガタと揺れる。テーブルを囲んでいたほかの3人は、思わずめいめいのグラスを持ち上げて避難した。せっかくのランチが台なしになるところだったじゃないか、とでも言いたげな視線が一斉に少年に注（そそ）がれる。

と、ナランチャは大きく椅子にもたれて自信満々に、

「きっと、セガーリをモデルにして、マリオをつくったんじゃないかなーって思ってるんだけど、アバッキオはどう思う？」

「うるせえぞ、ナランチャ‼」

そう言うと、相手の男が力いっぱいナランチャの頭を拳で殴りつけた。

「てめえ、状況がわかってんのか！」

ナランチャを怒鳴りつける、この金髪の男はレオーネ・アバッキオ、20歳。肩まで伸ばした金色の髪と全身を包んだ黒のスーツ、ベルトのバックルには自分のイニシャルから取ったのだろうか、大きく「A」の文字があしらわれている。

このメンバーのなかではひときわ背が高く、190センチはあろうかという長身だ。そして、まるでギリシャの彫刻のような険しい顔つき。唇にひかれた真っ赤な口紅がひときわ異様に映る。本人としてはオシャレのつもりなのだろうが、異様だ。しかし、そのことを指摘しようものなら、どんな目に遭うか、わかったものではない。ギャング団に入る前は警官だったという彼の鋭い視線に晒されてしまっては、そこいらのチンピラなら思わず震えあがってしまうことだろう。

「いてぇ！　痛えよぉ！」

殴られた後頭部を押さえながら、椅子から落ちたナランチャは、床をバタバタと転げまわっている。

「痛い痛い痛い痛い！」

「大丈夫ですか、ナランチャ」

反対の席に座っていた男が声をかけた。彼の名前はジョルノ・ジョバァーナ。短くまとめた金髪に、ダビデ像のような精悍（せいかん）な顔立ち。身には鮮やかなグリーンの上下のスーツをまとい、その両胸には大きなてんとう虫のブローチがつけられている。いや、胸のところだけではない、ベルトのバックルにも同じようなブローチが見える。ジョルノはてんとう虫がお気に入りなのだ。

ジョルノは、最近、ブチャラティのグループに入ったばかりの新顔だ。そのせいだろうか、ほかの連中とは違って、どこか立ち居振る舞いもギャングらしい荒々しさが感じられないのが、不思議と言えば不思議に思える。まるでどこかの国の王子のような、高貴な雰囲気さえ漂わせているジョルノ・ジョバァーナ。しかし彼は、その恐るべき実行力と素早い決断力で、まわりのメンバーから一目（いちもく）置かれる存在になっていた。

「アバッキオのヤツ、俺の頭を思いっきり殴ったんだよ！　バキーンって!!　痛（いて）えよ、痛

え！　まったくひどいよ、アバッキオは!!」

痛がるナランチャの頭を撫でながら、

「うーん、コブになってますね、これは」

そうジョルノは応える。


「ブチャラティ、聞いてくれよ！　アバッキオが殴るんだよ!!」

ナランチャが、先ほどからの騒ぎには目もくれず、じっと新聞を読み耽っている男に訴えかける。この男こそ、このならず者集団を率いるリーダー、ブローノ・ブチャラティだ。なんと言っても目立つのは、まるでオカッパのようにキレイに切り揃えられた髪型だろう。ちょうどこめかみに当たる部分に、縞模様のヘアピンをつけ、ちょっと見には女性のようにすら見える。まさかギャングの、それもあのパッショーネの幹部だったとは、普通の人にはわからないだろう。しかし、鍵穴のような模様のついた白いスーツ、腕や胸につけられた巨大なジッパーを見れば、まず只者ではないことはわかる。

「なにか気になる記事があるんですか、ブチャラティ？」

必死に訴えるナランチャに構わず、新聞の記事をじっと睨んでいるブチャラティに、ジョルノは話しかけた。

「……ジョルノ、この記事を見てくれ」

そう言ってブチャラティが指差した見出しには、大きく『生物兵器テロか!?』の文字が躍(おど)っている。

その記事は、昨日、サン・マルコ寺院のそばで起こったテロ事件を扱ったものだった。事件が起こったのは、モンド・アーリアという老舗(しにせ)のホテル。ロビーにいた観光客や従業員20人近くが被害に遭ったものと見られている。しかし、使われたのが正体不明の生物兵器（新種のウイルスを使ったものではないか、と記者は推測している）であり、被害を受けた人々は身元がわからないほどにぐしゃぐしゃの状態になっており、被害者の正確な数などは把握(はあく)できていない。唯一(ゆいいつ)、このホテルで働いていた女性従業員の生存が確認されているが、ショック状態がひどく、現在は病院で検査を受けている最中だという。

いまのところ犯行声明などは出されていないが、「観光客を狙い、ヴェネツィアのイメージを著(いちじる)しくおとしめる凶悪な犯行」であり、「生物兵器を使ったと見られる手口の悪質さ」においても、「言語道断のテロ事件」である、と犯人グループ（?）を強く非難する調子で記事は締(し)めくくられていた。

「この記事がどうしたってんだよ、ブチャラティ?」

ジョルノから渡された新聞をザッと一瞥（いちべつ）したアバッキオが訊（き）いた。

「20人近くの人間を一挙に殺害できる〝新種のウイルス〟。こんな離（はな）れ業（わざ）が可能なのは一体誰だ？」

ブチャラティが言った。

その横では、新聞の読めないナランチャが、ふたりの会話の行方を息を詰めて見守っている。

口火を切ったのは、ジョルノだった。

「……この事件はフーゴの仕業（しわざ）じゃないか、って言うんですね、ブチャラティ」

「な、なん!?」

「なんだって!!」

アバッキオとナランチャが揃って、驚きの声をあげた。

*

フーゴは、つい数日前、ブチャラティたちと決別していた。

〈キング・クリムゾン〉との戦いのあと、ボスとの対決を宣言したブチャラティは、

「これはいままでの仕事以上に、勝てる見込みのない勝負だ。ついてくるか」

と尋(たず)ねた。ジョルノ、アバッキオ、ナランチャ……。次々と仲間たちは船に乗り込んでいったが、しかし、フーゴだけは頑(がん)として島に残り続けた。

強大な組織、これまで自分を支え、守ってきてくれたパッショーネを裏切り、反抗しようとするリーダーを、彼は信用できなくなった。そのあまりにも無謀(むぼう)な賭(か)けに対して、フーゴの知性はついていくことを拒否したのだった。

「でも、なんで！」

ナランチャが叫ぶ。

親友に裏切られ、人間不信に陥(おちい)ったナランチャを救ってくれたのがフーゴだった。ギャングへの道を開いてくれたのも彼だ。１つ年下とは言え、兄のように慕(した)ってきたフーゴ。彼との決別でさえ、ナランチャにとっては身を引き裂かれるような出来事だった。そこにこの事件。罪のない人々を巻き込んだテロ事件の犯人が、フーゴだなんて！　ナランチャには信じられなかった、いや、信じたくなかった。

「確かに、ブチャラティの言う通りだな。ヤツのスタンド〈パープル・ヘイズ〉なら、これくらいの事件は起こしかねない」

再び新聞に目をやったアバッキオは続けて言う。

「にしても、ヤツのウイルスの射程はせいぜい周囲5メートルくらいじゃねえか。だけどよ、この記事だと、ホテルのロビーにいた人がすべて被害に遭っている。いくら強力なウイルスだとは言え、計算が合わねえと思うけどな」

「いや、事件の起こる直前、ホテルの周囲は大規模な停電にあってます。〈パープル・ヘイズ〉のウイルスは、確かに5メートルほどまで近づかなければ感染しません。しかしそれは、あくまで光の当たっている場所の話です。暗闇で、かつホテルのロビーのような閉じられた空間だった場合は、その感染力が10倍、20倍になることも十分考えられる」

確かにありえることだ……。ジョルノの推測にアバッキオは黙り込んだ。

〈パープル・ヘイズ〉のウイルスは、吸い込んだ人間をあっという間に殺してしまうほど強力な毒性を持っている。しかし、その反面、光に極度に弱い。日光のもとなら数秒、電気の明かりのもとでさえ30秒程度ですべて死滅してしまう。しかし、もし万が一、明かりがまったくない状態だったら……。

「でも、なんでだよ！　理由は？　理由がないじゃないか!!」

ジョルノの説明に納得できないナランチャは、あきらめきれずにそう言い募った。

「停電の原因は、近くの送電所が爆破されたことによるらしい」

ジョルノとアバッキオのやりとりに耳を傾けていたブチャラティが、口を開いた。

「つまり、フーゴひとりの仕業ではない、ということだ。この事件には、複数の人間が絡(から)んでいる。少なくとも、停電を仕掛けた人物と、ホテルでウイルスをばら撒(ま)いた人物のふたり。……つまり、組織の仕業だ」

ブチャラティがそう断言すると、テーブルには重い沈黙が垂れ込めた。

埃(ほこり)っぽい店内に、重い空気が垂れ込める。ナランチャはあまりの衝撃に口をきくこともできず、ただフォークで目の前のパスタをつついていた。アバッキオもまた、宙の一点をじっと睨(にら)んで押し黙っている。ジョルノはなにを思ったか、テーブルの上に置かれた新聞を再び手に取り、物思いに耽(ふけ)っていた。

再びブチャラティが口を開く。

「つまり、フーゴはいま、組織とともに行動している。理由はわからん。しかし、おれたちと別れたあと、ヤツが組織に再び合流したことは十分想像できる」

「てことは、オレが持ってきた情報も、ヤツに繋(つな)がる可能性があるってことだな」

店のドアが開いて、場違いなほどに軽(かろ)やかな鈴がチリンチリンと音を立てると、ひとりの男がそう言いながらなかに入ってきた。

体にぴったりと密着した格子柄のスウェーターに豹柄(ひょうがら)のパンツ、頭には大きな矢印をあ

しらった帽子を被っている。普通のセンスでは到底許容できないこの奇妙奇天烈(きてれつ)な格好をした男——それを言い出すと、この場にいる全員がおかしな格好をした集団ということになってしまうが、しかしそのなかでもこの男の扮装は、ひときわ目立って見えた——彼の名は、グイード・ミスタ。この筋骨逞(たくま)しい男もまた、ブチャラティたちのグループの一員だった。

凜々(りり)しく盛り上がった胸の筋肉、いかにもすばしっこそうな足元。ちょっと見たところ野生の獣のようにすら見える極限まで鍛え上げられた全身と、そしてなによりズボンに裸のままねじ込んでいる愛用のリボルバーが、彼の戦闘能力の高さを物語っている。

「ここのチンピラどもは、まったく意気地(いくじ)がねぇな。ちょいと捻(ひね)りあげただけで、すぐにゲロっちまいやがる。まったく、つまらねぇったらありゃしねぇぜ」

「それで?」

そんなミスタのセリフににやりともせず、アバッキオが先を促(うなが)す。

「そうだった、悪(わり)ぃ、悪ぃ。どうやらヴェネツィアのヤツら、大量の爆薬をこの近辺に運び込んでるらしい。戦争でもおっぱじめるつもりなんじゃねえか、ってチンピラどもの間では噂(うわさ)になってる」

「その爆薬は、きっと先日のホテルの事件で使われたものですね、ブチャラティ」

TRACI

ジョルノの言葉にブチャラティはうなずく。

「さすがジョルノ、ご明察ってとこだな。しかもその爆薬、まだまだ倉庫に山のように積んであるらしいんだな」

「つまり、組織の連中は、この騒ぎをまだまだ続けるつもり、というわけだな」

と、ブチャラティが応じる。

「しかし、そんな大量の火薬、いったいどこに隠してるんでしょう？」

「まったく、その通りだよ、ジョルノ。肝心(かんじん)の爆薬は、どうやら数か所の隠し場所に分けてあるらしいんだな。わかってるのは……」

と、買ってきたばかりの市街地の地図を手早くテーブルの上に広げ、いくつかの場所を次々と指差す。

「ココとココ、それにココ。でも、どう考えたって、それだけで済むはずがない」

「全部、しらみつぶしに当たるにしても、この人数じゃ手がまわんねえぜ……」

「それにアバッキオ、そうこうしているうちに、僕たちの動向が組織にばれてしまうかもしれませんよ」

そう、ジョルノの言う通り、彼らはいままさに、組織との抗争の真っ只中にいた。時は一刻を争う。組織がなにを考えているかはわからないが、彼らはフーゴのスタンドパワーを使い、このヴェネツィアで事を起こそうとしているのは間違いない。なるべく早く手を打たなければ……。

腕組みをして地図を睨むアバッキオとジョルノ。そのとき、ブチャラティがミスタに声をかけた。

「ミスタ、お前、まだ隠していることがあるんだろう」

「ハハッ、やっぱわかっちまうもんだな。そうそう、とっておきのネタがあるんだ」

そう言うと、ミスタは地図のまわりに集まったメンバーをぐるりと見まわした。

*

ミスタの持ってきた〝ネタ〟とは、ヴェネツィアのゲットー――名前からもわかる通り、ユダヤ人街として発展してきた一角で、いわゆるユダヤ人地区を指す「ゲットー」という名称の発祥の地でもある――、その中心に位置するゲットー・ヌオヴォ広場に住む、ひとりの老人の話だった。

レストランを引き払った一行は、大運河に乗りつけてあった水上ボートを使い、ヴェネツィアの北東部、カンナレジョ地区へ向かう。ヴェネツィアの地図を頭に叩き込んでいるミスタが操る水上ボートは、細かな水路を右へ左へと次々と曲がっていく。

ミスタの集めてきた情報によれば、その老人——名前をセッピアというらしい——は、ヴェネツィアにやってくる武器関係、つまり銃や弾丸、それに爆薬などの危険物を一手に扱っている人物だという。組織のなかでも幹部クラスの〝やり手〟だが、本人は今回の事件の大きさに怖気づき、手を引きたがっているという。

「んだもんで、ヤツら、別口のルートを探さなきゃなんねぇってグチをこぼしてたんだから間違いねえ。困った連中は、なんとかセッピアを説得しようとしてる——説得っていったって、ここまでことが大きくなっちまったわけだから、両手をついてお願いしますってわけにはいかねぇだろう。無理矢理ふんじばって、倉庫にでも閉じ込めておくつもりだろうが、その前に俺らがその爺さんを押さえちまえば……」

再び大運河に出た水上ボートは、そのまま運河をつっきって、サン・マルクオーラ教会の手前を流れる大きめの水路に入る。ここまでくれば、ゲットーまであとひと息だ。

「ジョルノ、あのドームみたいのはなんだ？」

ナランチャが、左手前方に見える建物を指差しながら訊いた。

「ああ、あれはサン・ジェレミア教会ですよ。ドームみたいに見えるのは、ギリシア十字式の聖堂です。ちょっとエキゾチックでしょ？」

「なんだ、お祈りするところか。てっきりボウリング場でもあるのかと思った」

「ボウリングって……」

思わず苦笑するジョルノ。

「オレ、こう見えてもボウリング、結構うまいんだぜ」

ナランチャは球を投げる仕草をしてみせる。まるで緊張感のないヤツだ、と思われるかもしれないが、決してそうではない。事実、そう言いながら辺りを窺っているナランチャの視線は、多くの戦場を戦い、生き延びてきた人間だけが持つ、鋭い光を放っていた。

ボートがゆっくりと停止する。

「さあ、目的地に到着だぜ」

立ちあがったミスタが一同に向かって宣言した。


セッピア老人の家は、ゲットー・ヌオヴォ広場からいくつかの路地を抜けた、古ぼけた集合住宅の1階にあった。いまにも壁が崩れ落ちそうなボロボロのアパート。とても組織の幹部クラスの人間が住んでいるとは思えないが、逆に言えば、セッピアという老人、それだけ安全な立場にいる人間なのだろう。

「じゃあ、いくぜッ」

ミスタの掛け声とともに、薄い扉が蹴破られる。バキッと木の扉が割れる音がすると同

時に、ミスタは前転しながら部屋のなかへと飛び込んだ。その真横で待ち構えていたアバッキオとブチャラティが、戸口から拳銃を突き出す。ふたりの間から、体の小さなナランチャが転がり込み、素早く辺りを見まわした。

「ひゃあッ！」

と、思わず声をあげたのは、そのナランチャだった。転がり込んだところに、さっと黒い影が横切る。

「敵か!?」

一同が一斉に銃口を向けたその先にいたのは、いかにも眠たげな目をした1匹の黒猫だった。

「なんだよ、びっくりさせるなよッ！」

悔し紛れに猫を蹴飛ばそうとするナランチャ。しかし、黒猫はその蹴りを素早くかわすと、開いていた窓から飛び降り、サッと姿を消した。係わりあいになるのはごめんこうむる、とでも言いたげな様子だ。

部屋はすっかりもぬけの空になっていた。丁寧にシーツが敷かれた小さなベッドに、テーブルに置かれたワインとグラス。組織の幹部とは思えないほどこざっぱりとまとまった部屋だ。ひとり暮らしの老人の部屋というのは、こういうものなのだろうか。

「しまったッ！　先を越されたか!!」

焦る(あせ)ミスタにジョルノが応える。

「とりあえず、中を調べましょう」

「いや、それまでもねえよ」

奥の部屋を覗(のぞ)き込んでいたアバッキオがジョルノを止めた。

「TVはつけっ放し、食事は食べかけた状態で放り出してあるってえことは、つまり、セッピアとかいう爺(じじ)いは、遅めの昼飯を食ってる最中に、誰かに無理矢理連れていかれたってことなんじゃねえか？」

「組織の方がひと足早かった、か」

アバッキオの話を聞いていた、ブチャラティが言う。

「じゃあ、どうすんだよ！　ねぇ!!」

「黙ってろ、ナランチャ！　こんなときにこそアバッキオの〈ムーディー・ブルース〉があるんじゃねぇか」

ミスタはアバッキオの方に向き直って言った。

「な？」

アバッキオのスタンド〈ムーディー・ブルース〉は、決して攻撃型のスタンドではない。破壊力もスピードも人間並みだ。

しかしひとつだけ、ほかのどのスタンドにも不可能な特殊能力を持っていた。それは、特定の人物に起きた過去の出来事を〝リプレイする〟能力。アバッキオが指定した人物に〈ムーディー・ブルース〉はなり代わり、命じられた時間まで〝巻き戻る〟。そして、その人物が現在までに行なった行動を、本人の代わりにトレースすることができた。

頭部につけられたタイマーは現在までの残り時間を指し示し、アバッキオが命じれば、その行動を高速サーチしたり、はたまたスロー再生することも可能だ。これを使えば——その人物がいた場所と時間さえわかれば、過去の出来事をすべて〝再生〟することができる。つまり、連れ去られたセッピア老人の跡を追いかけることができるという寸法だ。

「どれくらい前まで巻き戻せばいいかちょっとわからないが、食事の最中だったってことは昼の前後。そうだな、3時間くらいで大丈夫だろう」

そう言うと、アバッキオは自身のスタンド〈ムーディー・ブルース〉を発動させる。

「この部屋に住んでいたセッピア老人、時間は3時間前だ。行けッ、〈ムーディー・ブルース〉ッ！」

命じられた〈ムーディー・ブルース〉は、その紫色のプラスチック・ビニールのような

『ムーディー・ブルース』！

質感の体をぐにゃり、ぐにゃりと柔らかく変形、みるみるうちに小さな老人の似姿に変身していく。それは決して気持ちのいい光景ではなかった。ナランチャは口にこそ出さないものの心の底ではいつも「うげぇ……だぜ」と思い、慣れることができずにいた。

しばらくすると、小さな口髭(くちひげ)をたくわえ、禿(は)げた頭を撫でながらTVに見入っているひとりの老人がブチャラティたちの前に現われた。

第3章

また目が覚めた。

真っ黒い夢を見ていたので、真っ暗な病室で目が覚めた彼女は、まだそのなかにいるような、そんな最低の気分だった。

重いまぶたを開けて、暗い病室にじっと目を凝(こ)らす。闇(やみ)のなかにぼんやりと、青白く光る壁や天井、シーツや枕、グッと握(にぎ)り締(し)めた手のひら、汗をかいた首筋、額(ひたい)に張りついた髪。鼻と口から絶え間なく吹き出してくる、熱のこもった吐息(といき)。さんざん吐いたあとだったので、生暖かい息はどこか酸(す)っぱい匂いがする。

汗にまみれた体は、まるで密林で獲物を狙う肉食獣のような、甘い脂(あぶら)の匂いをたて、そして彼女は自分がまだ生きていることに気づく。

なぜ、わたしは生きているんだろう。

大切な友人を失い、救えるはずだったのに手を差し伸べることもできず、ただ傍観(ぼうかん)して

いるしかなかった。そしていま、わたしは、まるで獣のように、暗闇のなかでじっと息を詰めて横になっている。

わたしは生きている。生き残っている。

天井には、水漏れかなにかなのだろうか、ところどころに鼠色の染みができていて、細かなひび割れからは茶色く錆びた金属が顔を覗かせている。

病院の闇は、彼女の神経にひどく響いた。

*

明かりが戻ってからどれくらい経ったのだろう、ようやく意識を取り戻したコニーリオは、気がつけば大勢の男たちに取り囲まれていた。

「大丈夫か！」

声をかける警察官や救急隊員たち。彼女の肩を叩き、出口に向かって指差すと仲間と大声で話し、またバタバタと走り去る制服の男。

しかし、すでに人の形をとどめていないウィノナの前で、ただしゃがみこみ目をうつろに開いているコニーリオにとって、赤ら顔の男たちの走りまわる姿は、どこか遠い世界の出来事、自分とは関係のない遠い国の事件のように思えた。

男たちに肩を支えられ、ホテルのロビーを出るとき、ふと後ろを振りかえった。

そこは、彼女のよく知っていた場所だった。2か月以上、毎日のように歩き、やってくるゲストたちと言葉を交わし、荷物を運び込み、あるいは運び去り、ふいに母親に連絡をとろうと思い立ち電話ボックスに立ち寄るけれど、結局——小銭がないとか、なんとなく気が乗らないとか、そんな理由で電話をかけられない……。短い間だったけれど、彼女にとっては、これ以上ないほど居心地のよかったモンド・アーリアのロビー。

しかしいま、そのロビーは、地獄と化していた。

ソファでもたれあうように抱き合い青い顔をした恋人たちの死体、フロントから身を乗り出すように倒れている従業員、壁に激しくぶつかった老紳士のつぶれた体、落ちてきたシャンデリアから飛び出した青白い足、そして、床一面に広がったドス黒い血だまり。その血だまりからは、いまもまだ紫色の煙が、まるで消えかけの狼煙のように細々と昇っている。

あまりにたくさんの顔、たくさんの血、たくさんの手足、たくさんの死。コニーリオのすぐ隣では、惨状に耐えきれなくなった救急隊員のひとりが、吐瀉物を思い切り床にぶちまけていた。

「現場で吐くな！　外で吐け!!」

誰かが怒鳴る。

その瞬間、耳を覆わんばかりに鳴り響くサイレンの音、あちこちで焚かれる激しいフラッシュの音、男たちの怒声、野次馬たちの騒ぐ声、テレビリポーターらしき女性の「ちょっとなかが見えないじゃないの!!」という甲高い声、それらの音、音、音の洪水が一斉に彼女を襲った。

そのときコニーリオは、絶え間なく流れている自分の涙に気づいた。


どうしてわたしは、あのとき死ななかったのだろう？


そのあとすぐ、救急ボート（ヴェネツィア市内は、一切の車輌——車、バイク、自転車、その他もろもろの使用が禁止されている。そのため、救急車はもちろん、ありとあらゆる緊急車輌が存在しない）に乗せられて、コニーリオは市内の病院に運ばれた。

「事件のことを知らなければ、いますぐ家に帰してあげてるくらいだよ」

検査を担当した、端正な顔立ちの若い医者はそう言って笑った。

もちろん、そう簡単に家に帰れるわけもなく、カルテによれば「強烈なショックを受けていた可能性が高く」「当分の間は安静が必要」と判断された彼女は、その古びた病院のいちばん上の階に移された。

若い医者が言ったとおり、彼女はまったくの健康体だった。

病室に移されたのは、単純に言えば、警察からの事情聴取を受けるためだったようだ。その証拠に、それから1時間も経たないうちにTVドラマに出てきそうなピーター・フォークそっくりの中年刑事と若い警官が現われた。警官の方は、以前どこかで会ったような気がしたが、それは気のせいだったかもしれない。

トレンチコートのピーター・フォーク氏の質問は、これ以上ないほどにシンプルだった。あのホテルでなにが起きたのか。ただそれだけのことを、手を変え品を変え、何度も繰り返し繰り返し聞き直す。

あなたはどこにいたのか、あそこでなにをしていたのか、誰か不審な人物を見かけなかったか……。延々と繰り返される質問や言葉の端々から、警察がホテルの事件を取り扱いかねている様子がありありと窺えた。どれくらいの人が被害に遭ったのか、彼女にはわからなかったが、かなり大きな事件であることは間違いがなさそうだった。

ピーター・フォーク氏のまわりくどい質問に答えているとき、ふと、あの金髪の少年のことが頭をよぎった。ホテルのロビーにいた、モスグリーンのスーツの少年。そしてその

後ろに立っていた、まるでアメコミにでも出てきそうな格好の紫色の怪物――。

が、なぜか口には出せなかった。

なぜなのか――それは彼女自身にもよくわからなかった。


実際のところ、ホテルのロビーでなにが起こったのか、彼女にもよくわからなかったし、わかりたいとも思わなかった。事件のことを思い出そうとして最初に心に浮かんでくるのは、同僚のウィノナの笑顔だった。

「レオーニの代わりでも見つかったの？」

そう言って肩を叩いてきた、大切な親友の最後の笑顔。その顔を思い出すたびに、胸の奥がギリギリと締めつけられる。痛い、のしかかるような重い痛み。

(私はウィノナを助けることができた)

コニーリオはそう思う。

(それなのに……、それなのに、結局なにもできなかった!!)

ひとしきりの後悔(こうかい)。にぎりしめられる拳(こぶし)。


わたしは生き延びた。なぜだろう？

どうして、わたしだけが生き残ったのだろう？

ベッドに横になっているコニーリオの胸元で、〈ザ・キュアー〉が大きく鼻を動かす。小さな足をもぞもぞと動かして、顔の側に寄ってきたかと思うと、彼女のあごのすぐ下あたりに、まるでキスでもするかのように口を寄せてくる。両手の甲についている小さな青い宝石が、キラリと光る。

答えは、わかりすぎるほどわかりきっていた。

この子だ。この子が私の命を救ってくれた。

彼女の心のなかのつぶやきに応えるように、〈ザ・キュアー〉は顔をコニーリオに向け、少し首をかしげたように見えた。

＊

それはたぶん、小学校を卒業するくらいの頃のことだったと思う。

近所でいちばんのおてんば娘は、すっかり一人前の少女（というのは、実を言うと語義矛盾だけれど）に成長していた。もう、近所の悪ガキたちと殴りあうこともなければ、服がボロボロになるまで遊びまわることもない。長く伸ばした髪をポニーテールにまとめた

コニーリオは、一見、どこにでもいる普通の少女に見えた。

いや、〝どこにでもいる普通の少女〟というのは、正確ではない。通りですれ違うときに「よう！」と声をかければ、快活に「こんにちは」と笑顔のひとつも返してくれたかもしれないし、そんな彼女の姿に胸をときめかせる男の子だって、ひとりやふたりではなかったと思う。

けれど、小学校でのコニーリオは、ただただ孤独だった。学校を出ると、そのまままっすぐ家に帰り、自分の部屋に入ると夜遅くまで本を読み耽る。ナンシー・ドルーとかシャーロック・ホームズ、アガサ・クリスティのくだらない推理小説とか。あるいは、流行りのファッション誌に目を通したり、タンタンの冒険絵本を日が昇るまでながめていたこともあった。

彼女が自分の殻に閉じこもるようになったのには、ふたつの原因があった。

ひとつは、両親の離婚。コニーリオが小学校に上がるとき、父と母は別れて暮らすことを決断した。理由は、よくわからない。

小さな頃は、家族揃って近くの映画館にスピルバーグのSF映画を観に行ったり、あるいはサッカーの試合に行ったりした。でも、いつの間にか、母と父は会話を交わすことが少なくなり、ただ、兄が、母と父の仲をなんとか取り持とうと右往左往していた姿ばかりが思い出される。

結局、離婚協定の結果、兄は父方に引き取られ、近所でも評判の仲のよい兄妹は別れて暮らすことになった。いまにして思えば、よくある話。実際、高校を出て、近所の小さな雑貨店やあるいはできたばかりのファーストフード店でアルバイトを始めてみると、意外なほど離婚家庭が多いことがわかった。しかし、まだ小学生のコニーリオにとって、両親の離婚は世界がすべてひっくり返ってしまったような衝撃だった。

いや、よく考えると、父と母が別れて暮らすことがショックだったわけではない。

彼女の家庭は、ほかの多くの家庭と同じように、共働きだった。父は中堅の証券会社で要職についていたし、母は大手自動車販売店の副店長を務めていた。なんとなく出会い、なんとなく恋愛をして、なんとなく結婚し、なんとなく子供をつくった——というと、きっと母は頭から湯気を立てて怒るだろうけれど、そんなふたりが日々を忙しく過ごしているうちに心が離れてしまう……なんて、ちょっとあまりにありきたりな話。

両親の離婚によって引き起こされた最大の問題は、むしろ兄と離れなければならない、その一点だったのだ、といまにして思う。

学校から帰ってくるコニーリオの面倒を見るのは、いつも兄の役割だった。母親が出掛

ける前につくっておいたシチューやらなにやらを温めて一緒に食べたり、あるいは兄が当時ハマっていたイギリスのロックバンドの曲をうろ覚えの英語で歌ったりした。彼女の生活時間のほとんどすべては、兄と過ごすことで占められていた。

その兄がいなくなってしまう。

兄のいなくなった家は、どこかがらんと空っぽの感じがして——そう、あのモンド・アーリアの客室のように空っぽで、母親が帰ってくるまでの間、彼女はその空っぽの部屋を行ったり来たりしながら、ぼんやりと暮らし、ジグソーパズルの最後の1(ワン)ピースを探すように、ふとした瞬間、ついつい兄の姿を探している。

母との新しい暮らしになかなか慣れることができない、そんな自分がイヤだった。

そして、もうひとつの原因は彼女のスタンド——〈ザ・キュアー〉だった。

中学校の体育の時間。膝(ひざ)を擦(す)りむいた友達に、こっそり〈ザ・キュアー〉のことを話した。きっとあなたには見えないけど、こうやってわたしが手で押さえていると、みるみる傷が消えていくのよ。大事な友達だからこそ、打ち明けられる大事な〝秘密〟。彼女からすれば、ちょっとした親切のつもりだった。

「ふたりだけの秘密だからね！」

そっと耳打ちをして、〈ザ・キュアー〉に傷を舐め取らせる。当の〈ザ・キュアー〉は両目をキョロキョロと動かして、いかにも楽しそうに友達の膝を舐めていた。

　これでもう大丈夫。そう友達に笑顔を向けた彼女を待ち構えていたのは、恐怖と怯えに満ちた、ゾッとするような視線だった。

「あ、ありがとう、コニーリオ……も、もういいわ」

　そういう友達の声は震えていた。

（きっと喜んでくれると思ったのに……）

　慌てて教室へ戻っていく友達の後ろ姿を見送りながら、ちょっとだけ後悔した。友達だから、大切な友人だからこそ、勇気を出して打ち明けたのに。

　もちろん後悔だけで済んでしまうほど、学校社会は甘くない。

　その日のうちに、コニーリオの不思議な（友達の言葉を借りれば〝気味の悪い〟）能力の噂は学校中に広がっていた。小さなときからコニーリオを知っている者のなかには、どれだけ怪我をさせても家に帰るとピンピンしている〝不死身のコニー〟を思い出す者もいたし、〝不死身のコニー〟が〝魔女のコニー〟に、あるいはもっとひどい形容詞に変わるのも時間の問題だった。

　同じクラスの生徒たちは露骨に彼女を避けるようになり、仲のよい友達たちも（そのな

かには、例の友人もいた）なんとなく距離を置き始めた。毎日ランチを一緒にとっていた女の子たちが、昼休み、気づくとみんな席からいなくなっていたり、買い物に出掛ける約束を破られたり、そんなことが茶飯事になった。

初めのうち、コニーリオにはなにが起きたか理解できなかった。自分の能力が人を怯えさせるとは思いもしなかったし、みんなきっと〈ザ・キュアー〉がどんなに可愛いか知らない——見えないから、恐がっているのだと思ったりもした。

しかし、彼女につけられた〝魔女〟の称号は、高校を出るまで、ずっとコニーリオにつきまとった。苦痛に満ちた学校生活で学んだのは、「人は、どれだけ〝よいこと〟であっても、未知のモノを怖れる」ということだけだった。

その真実は、彼女をひどく傷つけた。相談にのってくれたはずの兄は、もう家にはいなかった。

いちばん多感な頃にコニーリオの身に降りかかったこのふたつの出来事は、彼女を根本から変えてしまったのだろう。

友達とのつきあいを避けるようになり、ひとりで部屋にこもることが多くなった。声をかければ昔のままの〝陽気な美少女〟に戻る。学校にも必ず毎日、意地のように通い続けたし、アルバイトにも精を出す。でも、他人に対して心を開くことは決してなかった。ひたすら自分のまわりに壁をつくり、そのことに気づかれる前に笑顔で取(と)り繕(つくろ)った。

小さなウサギの妖精――〈ザ・キュアー〉はいつも彼女の側にいたが、その力をまわりの人に向けることはもうない。友人の、あの怯えた目をもう二度と見たくなかった。

そうして彼女は、ただ兄のいない家で、誰も見ることができない白ウサギの妖精とだけ暮らし始めた。鍵のかかった空っぽの小さな家。母親ですら、コニーリオの心のうちを知ることはなかった。

*

深夜の病院は、冷たい静寂(せいじゃく)に浸(ひた)されている。

手元のランプを点(つ)けて、母親が持ってきたファッション雑誌をなんとはなしに読みながら、ふと時計に目をやると、針はすでに12時を回っていた。

今日はひどい一日だった。思い出したくもない出来事が多すぎた。体はどこも痛くなかったし、吐き気はずいぶん前に治まったけれど、胸にのしかかる重いもやはいっこうに晴れそうになかった。

もう考えるのはよそう。そう自分に言い聞かせるようにつぶやくと、コニーリオはラン

プを消そうと手を伸ばす。

そのときだった。さっきまで枕の側で丸まっていた〈ザ・キュアー〉が、素早くひょいとベッドを飛び降りて、ドアに向かって走っていく。彼女がその姿を目で追うと、〈ザ・キュアー〉は病室の扉の前で立ち止まっていた。そして、コニーリオの方に振り向くと、なにかを訴えかけるようにじっとこちらに目を向けている。

「なに？」

そう問いかけても、〈ザ・キュアー〉はいつものように首をかしげるばかりだ。コニーリオは仕方なくベッドを降り、〈ザ・キュアー〉に近づいた。

と、次の瞬間、小さなウサギは扉をすり抜けて、目の前から消えた。

「こんな夜中に追いかけっこなんて……」

人の気を知らないわがままウサギめ。早くベッドに横になりたい、眠って今日のことをすべて忘れてしまいたい。それなのに……もう！

ドアを開けて、廊下に出た。廊下は、大きな窓から入る月の明かりで驚くほど明るい。その廊下の先、診察棟と重病患者棟に向かう渡り廊下に〈ザ・キュアー〉がいた。月の明かりに照らされた透き通るように白い毛が、きらきらと光る。両耳と両手、それに額のところについている小さな宝石が、薄闇（うすやみ）のなかでぼんやりと青く浮かびあがっていた。

　コニーリオが近づくと、〈ザ・キュアー〉はまるで逃げるように、渡り廊下の突き当たりを左に曲がる。重病患者が入っている病棟だ。慌てて後を追う。

　と、そのとき、爽（さわ）やかなミントの匂いが鼻をかすめた。

（この匂いは……）

　彼女の心に反応したかのように、〈ザ・キュアー〉は大きな耳をピンと立てた。そして、なにやらじっと廊下の先を見つめる。

「あ、あれは……」

〈ザ・キュアー〉の視線を追って、真っ暗な廊下の先を見つめる。

　そこには非常灯の明かりにぼんやりと映る、少年の影があった。

　間違いない、ホテルの少年だ。

　風に吹き荒らされたような髪型、頼りなげに立っているその姿。病院の暗い照明に照らされて、コニーリオの方からは、まるで昔、テレビでやっていた影絵芝居の登場人物のようにしか見えなかったが、その独特な風貌を見間違えるはずはなかった。

（どうして？　なぜここに？）

　そう思った瞬間、少年の姿は消えていた。

急いで少年のいた場所まで駆け寄るコニーリオ。しかし、そこにはもう少年の影も形もない。ただ、甘やかなミントの匂いだけが鮮やかに鼻腔に残っている。

急に、後ろのドアがバタンと大きな音を立てて開いた。

「う、うぅ、うぅ」

まるで小さな子供が消防車の真似をしているようなその声の主は、縦じまのパジャマを着た化け物だった。

元から太っていたのであろう体型はブクブクと脹れあがり、顔にはいくつもの大きな腫瘍ができていた。体を支えようと、扉にかけていた手がズルリと滑り落ち、ドスンと音を立てて崩れ落ちる。手をかけた扉には、青黒い血がべっとりとこびりついていた。その真っ黒い手形が、彼女の心に緊急信号を発した。

(まただ！　また、同じことが起こってる！)

パジャマの男を起こそうと、コニーリオが駆け寄ると、まるで赤ん坊がイヤイヤをするように首を振り、床に伸びようとする。激しく床に叩きつけられる手。2度、3度、と叩きつけるうちに、グシャリとイヤな音を立てて、男の右手の親指が潰れた。コニーリオの顔にその飛沫が飛び跳ねる。ウィノナのときと同じように、血はドス黒く、空気に触れるそばから紫色の煙となって消え去っていく。

「大丈夫ッ！　ねぇ、なにが起こったの!?」

彼女がその男の肩をつかんで揺さぶった瞬間、今度は隣の病室で大きな音がした。ガシャン！　ガラスのようなものが割れる音。続いて、ゴトゴトとなにか大きなものを引きずるような音が聞こえる。

（ホテルのときと同じだ！　ここが、この病棟が、何者かに襲われている！）

2回目は躊躇（ちゅうちょ）しなかった。

胸に抱いていた〈ザ・キュアー〉を男の足元に押しつけるように置いていくと、コニーリオはすばやく他の病室を見てまわった。

幸運なことに、この日、重病棟にいた患者の数はそれほど多くなかった。3つの部屋に5人。さきほどのパジャマの男に、体じゅうにチューブを取りつけた老人とその付き添い婦、その隣の病室にはまだ小さな女の子がふたり。全員が同じ症状を起こしていた。

果物（くだもの）が腐ったような甘い腐臭、こぶのように脹れあがった手足、ところどころ青黒い液体が吹き出している体。全員が人間のものとは思えない無気味な唸り声（うなりごえ）をあげ、激しく体中を掻き毟（かきむし）っている。掻いたところから、どんどんと皮膚が剝（は）がれ落（お）ち、そのなかの肉は、

青く波打っている。

ホテルの——そう、ウィノナのときとすべてがまったく同じだった。

パジャマの男のところに戻ると、ちょうど〈ザ・キュアー〉は毒を吸い尽くしたところだった。男は少し痛そうにうめいていたが、外見はほとんど元に戻っている。顔にはまだいくつか切り傷が残っていたが、大きな腫瘍はすべて吸収し終わったようだ。

「次はこっちよ!!」

老人の方が具合が悪そうだと見てとり、彼女は〈ザ・キュアー〉に声をかける。

彼女の声に反応し、〈ザ・キュアー〉は素早く次の行動に移っていた。廊下をあっという間に駆け抜けると、すぐさま隣の病室に飛び込む。それはコニーリオ自身初めて見るほど素早い動きだった。

熱さに耐えかねて、全身から汗ともつかない不気味な液体を吹き出している老人の口に、〈ザ・キュアー〉は直接自分の口を当て、毒を吸い出す。先ほどまで激しくベッドを叩いていた手の動きは、次第にゆっくりと落ち着き始め、荒かった呼吸もだいぶ治まりかけている。

しかし、そうこうしているうちに、ベッドのそばに倒れ込んでいる付き添い婦が大きな怒声をあげ、みるみるうちに溶け出していた。床には、彼女のものらしい、血液なのか体液なのか、真っ黒な水たまりが広がり始めていた。焦って踏み込んだコニーリオのスリッパが、ズルリと滑る。

「早く、早く！」

その声に応えるように、〈ザ・キュアー〉は3人目に移る。明らかにパジャマの男のときよりも吸い出すスピードが速くなっているようだ。このぶんなら全員助け出せるかもしれない。いや、きっと助け出せるはずだ。

コニーリオは、小学校以来封印してきた自らの能力を、生まれて初めて最大限に発揮させようとしていた。

第4章

〈ムーディー・ブルース〉の頭部に取りつけられたタイマーが、ちょうど3時間前を差して止まった。そのまわりを、ブチャラティとジョルノ、アバッキオが取り囲む。

と、そのとき、彼らの後ろから近づく影があった。

気配に気づいたブチャラティとジョルノは、〈ムーディー・ブルース〉を守るように、素早く構えを取る。〈ムーディー・ブルース〉は、決して攻撃向きのスタンドではない。そのうえいまのように過去を〝再生〟している最中は、ほかの行動が一切できなくなってしまうため、ブチャラティとジョルノが彼をガードする必要があった。

「ねえ、ナランチャはどこ?」

彼らにそう声をかけたのは、緑に染めた髪をくるくるとまとめた女性。いや、女性というには、まだどことなくあどけなさが残った顔立ちをしている。生意気そうに開かれた唇(くちびる)に、ツンと上を向いた鼻、大きく見開かれた二重(ふたえ)まぶたの目。瞳(ひとみ)の色は髪と同じような鮮やかな緑。服装は、見ているこちらがドキリとさせられるほどセクシーだ。ふくよかな胸をきわどいほどに強調したタンクトップ。格子縞のスカートに大きく入ったスリットから、滑らかな美しい足がちらりと顔を覗かせている。

街で見かけたら、思わず声をかけたくなるほどの美少女……。しかし、実際に声をかけたなら、もしかするとその人物は、次の瞬間に闇に葬り去られているかもしれない。彼女こそ、ブチャラティたちが命をかけて守り通そうとした張本人、ボスのひとり娘、トリッシュ・ウナだった。

「なんだ、トリッシュさんでしたか」

心底ホッとしたという表情でジョルノが応える。

トリッシュの足元には、1匹の亀がじっとうずくまっていた。

〈亀〉は、ボスの指示に従ってヴェネツィアに向かう途中で手に入れたものだ。まるで置物のように動かない年老いた亀。眠たげな目をしばたたきながら、のたのたと歩きまわる姿を目にしたとしても、普通の人は、まさかこれがスタンド使いだとは思いもよらないことだろう。しかし、目を凝らしてよく見てみると、どこかおかしな——普通の亀とは違ったところがあることに気がつくはずだ。

背中についている小さな凹み。ここに、ある鍵をはめ込むと、まわりにいた人々は、一瞬にして〈亀〉のなかに移動する。〈亀〉の背中にはめ込まれた鍵がキラリと光った次の瞬間、〈亀〉を取り囲んでいた人たちの空間がぐにゃりと歪み、まるでその鍵の部分に吸い込まれるように、人々の姿が掻き消えてしまうのだ。それがどのような理論によって可能なのか、常人には予想もつかないが、〝人々を安全に内部に吸収し、移動させられる〟ことが、この〈亀〉のスタンド能力だった。

〈亀〉の内部には、大人が優に6、7人入れるだけのスペースが広がっており、ソファや戸棚などのアンティークな家具が備えつけられている。ほかにも、冷えたシャンペンや食料の入った冷蔵庫などもあり、数日の間であれば快適に過ごすことができた。

つまりこの〈亀〉は、組織の目を逃れて移動を続けるブチャラティたち一行の格好の〝隠れ家〟となっていた。大の大人が6人も、まさかこの小さな〈亀〉のなかに〝隠れている〟とは、普通の人には想像もできないはずだ。

「『トリッシュさんでしたか』じゃないわ、ジョルノ。あたし、ナランチャに買い物をお願いしてあったんだけど……」

「ナランチャなら、いま、ちょっと外に出ていますが……」

ミスタとナランチャは、セッピア老人のアパートの屋上と入口に陣取り、敵からの奇襲に備えて見張りについている。ナランチャのスタンド〈エアロスミス〉には、周囲50メートルほどをカバーする二酸化炭素レーダーが装備されており、これを使えば周辺に異常な動きが起これば、いち早く対応できるはずだった。

「ちょっと、それじゃあたしのストッキングはまだなの？　もう4日も同じ服を着たきりなのよ。まったくいやになっ……」

そう言いかけるトリッシュを、ブチャラティがさえぎった。

「トリッシュ。すまないが、見ての通り、いま、ここは非常に危険だ。一旦、〈亀〉の中に戻っていてくれないか」

そう言うと、ブチャラティは寝室のドアのそばに隠れるように潜んでいる〈亀〉を指さした。

トリッシュは、組織を裏切ったブチャラティたちにとって、最後の切り札ともいえる重要な存在だった。

彼らの敵は、ボスひとりではない。恐ろしいスタンド使いであるボスだけでなく、いまやイタリア中のギャングがブチャラティたち一行の敵だった。

この危機的な状況を打破するためには、なんとしてでもボスの正体を探り出し、直接対

決を挑むしかない。

しかし、ギャンググループを長年にわたって束ね続けてきた男の正体は、誰ひとりとして知る者はいなかった。これまでのボスの経歴は何度も何度も、入念に消し去られ、秘密を知る者は抹殺された。その恐るべき粛清の嵐を生き残った唯一の関係者、最後のひとりがこのトリッシュである。彼女を手がかりに、ボスの隠された経歴に近づけるかもしれない……。いまはまだ父に関する記憶を引き出せないトリッシュだが、彼女の存在が外に漏れないようにブチャラティが必死になるのも仕方のないことだった。

しかし、トリッシュはそんなブチャラティの冷たい言葉にも動じる様子はない。ブチャラティの顔を睨み返すと、フンと大きくひとつ鼻を鳴らす。再び口を開いたトリッシュの声は、はっきりと怒りを含んでいた。

「確かに、ここは危険だわ。あんたたちがあたしの身を守ろうと、必死になってくれてるのもわかる。でも……」

緑の瞳は、いまやはっきりと怒りに燃えていた。

「でも、これはあたしの問題でもあるのよ！　顔も見たことのない父親と、あたし自身の問題なのよッ！」

「…………」

そう言われては、ブチャラティたちに返す言葉はなかった。

「わたしは、こんな〈亀〉のなかに閉じこもって、その瞬間を待っていたくない！　いつくるか、いつくるかって、怯えていたくないの。今度あの男に会うときは、死ぬときかもしれない。でも、それでも、なにが起こるか、この目で見ていたいのよ!!」

＊

「そんなところでいいんじゃねえかな、お嬢さん。もうそろそろ〝再生〟を始めたいと思ってるんだが」

睨みあうブチャラティとトリッシュの間に割って入ったのはアバッキオだった。

「うむ」

アバッキオの言葉に、ふと我に返ったように、ブチャラティがうなる。

「仲間割れをしてる時間はないと思うがな」

まだブチャラティを睨んでいるトリッシュに向かって、アバッキオが続けて言う。

その言葉に応えるように、トリッシュはブチャラティから目を外した。しかし、〈亀〉のなかへは戻ろうとはしない。

「わかったわ。でも、〈亀〉に戻るのはイヤよ。あたしもここにいる」

「……わかりました、トリッシュ」

すでにアバッキオの方に向き直っているブチャラティに代わって、ジョルノが応える。

「僕らの作戦は後手後手にまわっています。急がないと、ヤツらに追いつけなくなるかもしれない。そこはわかってください」

「……ええ。ええ、わかりました」

「喧嘩は、一旦おあずけだ。スタートするぞッ」

そう言うと、アバッキオは〈ムーディー・ブルース〉の〝再生〟を始めた。


組織の男たちが入ってきたとき、セッピア老人はちょうど遅めのランチをとろうとしていたところだった。昨日の残りの白身魚のフライと薄切りのパン、それにイギリスに住む甥から送られてきた紅茶。テレビをつけると、ちょうどお気に入りのチームのサッカー中継が始まろうとしていた。いそいそと椅子に座り、揚げ直したフライに手をつける。

まさにそのときだった。

突然の闖入者に対して〝お前たちは、なんだ！〟と怒鳴りつける。とは言え、こうなることはセッピアにとって、わかりきったことではあった。要はタイミングの問題でしかない。にしても、昼飯時に押し入ることはないじゃないか！

椅子から引きずられるように立ちあがり、肩をどつかれながら戸口に向かう。背中には鈍(にぶ)い金属の感触があった。銃を手にしたギャングを相手に抵抗するほど、セッピアは馬鹿ではなかった。両手を頭に持ち上げ、言われるままに通りへ引きずり出される。

すぐ側(そば)の運河にボートが横づけされていた。これに乗って、ヤツらはやって来たようだ。なにか重いものでも乗せているのだろうか、ボートのへりが水面ギリギリまで下がり、セッピアたちが乗り込もうとすると、大きく揺れた。

「よし、そこで一旦、ストップだ」

ブチャラティたちは、〝再生〟された〈ムーディー・ブルース〉の後を追って、セッピアの家の横の運河までやって来ていた。その様子に気づいたミスタが素早く近づく。

「予想通り、船で連れ去ったってわけだな」

「そのようだな。悪いがミスタ、船をここまでまわしてくれ」

ブチャラティの指示に従って、ミスタが船を取りに向かう。興味深そうにこちらを見守っている子供たちに向かって、

「おい、ガキども！　見せ物じゃねえんだぞ!!」

と凄(すご)む。ミスタの怒声を聞いて、慌(あわ)てて逃げ出す子供たち。

「あんなに怒んなくってもいいのに、ねぇ」

と言いながら、屋上に上がっていたナランチャが降りてきた。

「いまんとこ、不審な反応はないよ」

そう言うナランチャの頭上には、小さな戦闘機が飛びまわっている。青空のなかを我が物顔で飛びまわる戦闘機。その小さな窓が、陽光を浴びてキラキラと光っていた。

これがナランチャのスタンド、〈エアロスミス〉だ。一見、ただのプラモデルのように見えるこの戦闘機だが、その機銃から叩き込まれる弾丸は、大の大人を殺傷するほどの威力がある。狙いは決して正確ではないが、尽きることなく吐き出される弾幕に巻き込まれれば、どんな相手であれ——それがスタンドであれ、普通の人間であれ、ひとたまりもない。

「おーい、早くしろ!」

ミスタが操舵する小型ボートが素早く岸壁に横づけされる。トリッシュを先頭に、ブチャラティ、ジョルノ、アバッキオ、そしてナランチャとボートに乗り込んだ。

「よし、〝一時停止〟解除だ」

＊

ボートの中心に座らせた〈ムーディー・ブルース〉の動きを、ブチャラティが見つめている。その視線は真剣そのものだ。

〈ムーディー・ブルース〉の体の傾きや小さな仕草を読み取り、ブチャラティは「次の角を右」「左！」と次々に指示を出す。指示を受けたミスタは、その指示を正確な操舵によって完璧にトレースしていく。長年行動をともにしている彼らだからこそできる、絶妙のチームワークだった。

澄んだ運河の水面に浮かぶ、建物の影。彼らが生まれる前から、ヴェネツィアの街を眺め続けてきた教会の鐘楼。ゴシック、バロック、ビザンチン……さまざまな様式の建築物がすごいスピードで背後に飛び去っていく。茶色のレンガ、きらびやかなモザイク、夕方の鮮やかな太陽を浴びて、オレンジ色に染まったステンドグラス。観光客であれば、足を止めて驚嘆のため息をもらすだろう建物の群れをかき分けて、ボートは軽快に飛ばしていった。


ミスタの座っている操縦席の右隣にはナランチャが陣取り、〈エアロスミス〉を使って周辺を警戒していた。

「あれぇ？　おかしいなあ？」

そう言うナランチャにミスタが声をかける。

「おかしいって、なにがだぁ？」

いまにも鼻歌でも歌い出しそうな雰囲気のミスタ。水面を突っ切る気持ちのよい風に、心も自然と軽くなる。

「いや、レーダーなんだけどさぁ……」

ナランチャが右目に取りつけたレーダーをコツコツと指で叩きながら言う。

いま、そのレーダーには、少しずつ赤い点が増え始めていた。点は、二酸化炭素を排出している物体を示す。つまり赤い点のいる場所には、生き物がいるということだ。さらには赤い点の大きさで、その生き物が排出している大まかな二酸化炭素量まで把握（はあく）できる。

出発したときには、ボートのまわりにはほとんど赤い点は見えなかった。水上なのだから、それも当然である。しかし奇妙なことに、セッピア老人の追跡を始めて30分ほどした頃から、次第に赤い点がポツポツと増え始めていた。

「なんか悪いモノでも食べたのかなぁ」

ナランチャ自身、こんな現象を経験するのは初めてだった。いまや、ボートのまわりには、数多くの赤い点が点滅している。

「確かにおかしいな」

ナランチャの話を聞いたミスタがそう応えたときだった。

ほぼ同時に、トリッシュも〈ムーディー・ブルース〉の異常に気づいていた。

「あれ……、この男、まるで乗組員と話してるみたい」

さきほどまで船の真ん中で、萎縮したように座っていた〈ムーディー・ブルース〉が、誰かに話しかけている……。いかにも脅されていたというようにおどおどとした態度を取っていた〈ムーディー・ブルース〉＝セッピア老人が、いままでとは打って変わって、乗組員らしき男になにやら強い口調で話しかけていた。

「命乞いでもしてるんでしょうか……」

〈ムーディー・ブルース〉の様子を見たジョルノが言う。

「いや、そうとも思えないが……どうしたジョルノ？」

ブチャラティが聞いた。

「あの小さな破片――発泡スチロールだと思うんですが、なんだか……」

そう、ジョルノが口にした瞬間、

「うわっ！　なんだ!!」

ボートを運転していたミスタが、大声をあげる。振り向いたブチャラティは、こちらに向かって猛スピードで突っ込んでくる遊覧船を見た。遊覧船は、みるみるうちに彼らを乗せたボートに近づいてくる。

「危ねえッ!!」

そう叫びながら、ミスタは大きく舵を右に取り、水面を横滑りするように遊覧船を避ける。遊覧船の運転士は、驚きのあまり舵から手を離し、まるで錯乱したように大声でなにか叫んでいた。

「どういうこった、ブチャラティ！　空中から船が現われたぞ!!」

ミスタは、再度左に舵を切り直し、船の体勢を無理矢理戻した。前方を睨んだまま大声で問いかける。

「ミスタッ！　敵の攻撃だ！　気をつけてください、まだ来ますッ！」

ブチャラティに代わって、ジョルノが応える。

「おい、見ろ！」

アバッキオの声を聞いて、全員が〈ムーディー・ブルース〉を見た。

いまや〈ムーディー・ブルース〉は、椅子の上に立ちあがって、乗組員に次々と指示を出していた。その指示に合わせて船から積荷が下ろされたらしく、船が激しく揺れ動く。

あおりをくって、バランスを崩しそうになった〈ムーディー・ブルース〉――いや、セッピア老人が近くにいた乗組員を怒鳴りつけていた。

「その機雷はこっち、それは右だ!!」

「き、き、機雷!?」

〈ムーディー・ブルース〉の口から突如飛び出した単語に、その場にいた全員が凍りついた。


「うおおおッ!!」

　操縦席のミスタが叫ぶ。遊覧船に続いて、ボートの前に出現したのは、黒い球体だった。禍々しいトゲを生やした丸い球。そう、機雷だ！　間違ってぶつかれば、ひとたまりもない。いち早く機雷に気づいたミスタが、左に大きく舵を切った。

「間に合わねぇッ!!」

　ミスタは舵を握っていた手を離し、拳銃を取り出す。

「頼んだぜッ、ナンバー1、ナンバー2ッ!!」

と、機雷に向けて弾をぶっ放した。その先端には、金色の小さな人形が2体しがみついている。

「マカセトケ、アニキッ!!」

「イーヤッホーゥ!」

弾にしがみついた2体が口々に叫ぶ。この小さな金色の存在こそ、ミスタのスタンド、〈セックス・ピストルズ〉だった。

〈セックス・ピストルズ〉は、単純に言えば、銃口から飛び出した弾丸の軌道を自由に変えるスタンドだ。ナンバー1からナンバー7まで番号がつけられた6人(ナンバー4は、4という数字が嫌いなミスタの性格を反映して存在しない)は、その小さな体とスピードを生かして、空中で次々と弾丸をパスし目標に的中させる。そのため、目標との間に障害物があった場合——例えば、相手の背中を狙う場合でも、確実に撃ち抜くことができた。まさに、〝暗殺〟にもってこいの恐るべきスタンドだ。

激しく揺れるボートの上から機雷を狙い撃つのは、それがたとえ射撃の名人であるミスタであったとしても、至難の技だ。しかし〈セックス・ピストルズ〉の能力を借りれば……。

空中で大きく孤を描くように弾道を変えた銃弾が、正確に機雷の起爆装置を貫く。と、次の瞬間、大きな音を立てて水柱があがった。

「ヤッター!!」

「ザマアミロダゼ!!」

「ふう、間一髪だったぜ」

と、額の汗を拭うミスタ。

「って落ち着いてる場合じゃないよ、ミスタッ!」

横にいるナランチャが叫ぶ。その指の先には、いくつもの機雷が水面——先ほどまで、白い発泡スチロールがプカプカと浮かんでいた以外にはなにもなかった場所に、不気味な姿を晒していた。慌ててエンジンを切るが間に合わない。

「くそっ!! 頼んだぞ、お前たちッ」

そう言うと、ミスタは次々と銃弾を進行方向に向けて発射する。

「ヨシキタッ!」

「ウリャッ」

「ヤダヨォー!!」

口々に叫びながら、銃弾とともに〈セックス・ピストルズ〉たちが発射される。次々に吹き飛ぶ機雷。その衝撃を受けて、ボートが激しく揺れる。

*

セッピア老人とは、ヴェネツィアのギャングを取り仕切るトップ中のトップ、ソリョラ・ロペスの仮の姿だった。ヴェネツィアに入ってくるすべての武器や火薬、さらにはカジノや取引の金の流れをつかみ、部下の不正を把握する。そうした必然から、ソリョラは〝セッピア老人〟を名乗り、表の顔と裏の顔を使い分けることで、市井のチンピラから親しい部下にいたるまで厳しく管理し、無軌道な行動を取りがちなギャングたちのトップに君臨していた。

彼のもとにボスから直接の命令が下ったのは、つい数日前のことだ。

〝ヴェネツィアにて、ブチャラティを初めとする裏切り者のグループが行動中。速やかに排除、粛清すべし。手段は問わない〟

いつものように電子メールをチェックしたソリョラは、ザッと文面に目を通すと、苦虫を噛み潰したように顔をしかめる。

(こっちは、クソポリスたちに頭下げるのが関の山だってのに……)

ヴェネツィアは、イタリア中に張り巡らされたギャングたちのネットワークでも辺境に位置する。重要なカジノ経営や取引はイタリア本土で行なわれることが多く、島が点在するヴェネツィアのギャングたちは、どちらかと言えば〝ケチな〟仕事をまわされがちだ。

しかも、イタリアを代表する観光地だけあって、警察の取り締まりもほかの土地に較べると、遥かに厳しい。ソリョラの仕事も、大きな取引を動かすというよりは、いかに警察にうまく取り入るかの比重が高かった。

ソリョラはふつふつと湧(わ)きあがる怒りに任せて、メールの続きを読む。

〝P．S．パンナコッタ・フーゴが本日午後、そちらへ向かう。ブチャラティたちと行動をともにしていた一員だ。一味の特徴、行動傾向などについては彼から聞き出すこと。うまく連携を取りながら、速やかに任務に取り掛かるべし〟

（面倒なことは、いつもこっちに押しつけやがって）

メールを読み終えたソリョラは、苛立(いらだ)ちを露(あら)わにしながらデスクトップの電源を切る。

（いやしかし、これはボス直々(じきじき)の命令だ。うまくいけば、上層部に取り入ることができるかもしれねぇ）

そう思いながら、無精髭(ぶしょうひげ)を生やしたシワだらけのあごをこすると、なにを思いついたのか、机の上の電話に手をかけた。

今回の計画を立案したのは、ソリョラだった。嘘(うそ)の情報を流し、エサに食らいついたところを誘(おび)き出(だ)して、トドメを刺す。トドメには、フーゴの聞くも恐ろしいスタンド——〈パープル・ヘイズ〉とかいう、不気味な紫色の怪物だ——を使うにせよ、途中の誘導を

どうするか。すでにいくつもの困難を乗り切っているブチャラティたちが、そう簡単に罠にはまるとは思えなかった。

(俺の能力の見せどころだな)

そう、ソリョラはひとりごちた。彼もまた、ブチャラティたちと同様、スタンド能力を持つ人間のひとりなのだ。

手に触れたもの同士を入れ替える。それが彼のスタンド、〈ジョイ・ディヴィジョン〉の能力だった。

例えば、右手にサイコロ、左手にはバナナを持っているとしよう。と、次の瞬間には、そのサイコロとバナナが入れ替わっている。あるいは、右手に聖書を持つ。もちろん左手は空だ。しかし、次の瞬間には、その聖書は左手に移っている。まるでマジシャンのような能力だが、これを使えば、自在に物体の移動ができた。しかも、この能力を使い続けるうちに、物体が出現する時間さえもコントロールできるようになっていた。

小さな頃に両親と死別し、それ以来、万引きやいかさま賭博で暮らしを立てていた彼が、必要に迫られて発現させた、まったくソリョラらしいスタンドと言える。

いま、ブチャラティたちを襲っている機雷地獄も、この能力によって生み出されたトラップだった。

セッピアの噂を聞きつけたブチャラティたちは、まず間違いなくアバッキオの〈ムーディー・ブルース〉を使い、誘拐された老人の跡を追うはずだ。そのルートに機雷を設置し、〈ジョイ・ディヴィジョン〉の力で、一旦、なにかと入れ替える。そして、彼らが通ると予想される時間に再び入れ替える、というわけだ。入れ替えるなにかは浮いていられるものならよかった。セッピアが選んだのは小さく刻んだ発泡スチロールだった。

(俺の能力を役立たずだ、と笑った連中にも見せてやりたいくらいだな)

同様の手口で、ライバルたちをこの世から消し去ってきたソリョラは、大笑いしたくなる衝動を抑えていた。いや、こっからが重要だ。ヤツらの死体が運河に浮かぶまでは、気を抜けない。いまはまだ……。

「パンナコッタ・フーゴ――あの小僧もイマイチ信用が置けないが、あいつが言うには、ブチャラティたちのスタンド能力は半端じゃねえ。絶妙のチームワークで、何度もピンチを乗り切ってきたらしい。しかし、この俺のトラップが果たして突破できるか。お手並み拝見といくとしよう。しかも……」

誰に言うともなく、ソリョラはつぶやく。彼はいま、ヴェネツィアでいちばん有名な寺院の、その入口に立って、すでに陽の落ちようとしている地中海を眺めている。

（しかも、運よく機雷地獄を抜け出したとしても、そのあとにはもっと恐ろしい仕掛けがお前たちを待ってるんだがな……）

＊

ブチャラティたちを乗せたボートは、ゆっくりアイドリングしながら、ただ運河の流れに任せるままに漂っていた。船の周囲には、黒々と光る機雷の群れが、小さな波に洗われている。

ボートはヴェネツィアの中心を流れる大運河から離れ、小さな運河に入り込んでいた。水面に浮かぶ黒い塊が2重3重に行く手をさえぎり、そうかと思えば船のすぐ間近に、突然、まるで彼らを嘲笑うかのように機雷がヌッと、その不気味な姿を現わす。

「ダメだッ、どれだけ撃っても間に合わないよッ！」

ナランチャが毒づく。次々に現われる機雷の群れに対処するため、〈セックス・ピストルズ〉に加えて、ナランチャの〈エアロスミス〉も援護に加わっていた。〈エアロスミス〉は、〈セックス・ピストルズ〉ほど正確に起爆装置を撃ち抜けないが、そのかわり、一定の範囲を掃射することができた。

しかし彼らの健闘もむなしく、ブチャラティたちは完全に敵の手中に落ちていた。セッ

ピア老人の追跡、などと言っている場合ではもはやない。絶体絶命のピンチだ。

いつどこから現われるかわからない機雷に取り囲まれ、思い通りに操舵することすらできない。接岸できそうな場所には、必ず巨大な機雷がその黒々とした姿を見せる。下手に爆破しようものなら、周囲の住民を巻き込むことは必至だった。

「ヤツら、一体どれだけ機雷を仕掛けときゃ気がすむってんだ！」

ボートのすぐ鼻先に現われた機雷にリボルバーを向け、ミスタが銃弾を放つ。

前方に大きな水柱があがり、そのあおりを食ってボートが激しく揺れた。なにが起こっているのかと顔を覗かせていた住人たちが、泡を食って窓の奥に身を隠した。

「もういい、ナランチャ！　ミスタ、ボートを止めろッ!!」

ブチャラティの声に応えて、ゆっくりとボートが停止する。とは言え、ミスタとナランチャは、また機雷が出現するのではないかと、油断なく辺りを窺っている。

「これはいったいどういうことだ、ブチャラティ」

ホッとした表情でアバッキオが言う。

「たぶん、相手もスタンド使い、だな？」

操縦席からアバッキオのいる後部座席に振りかえりながら、ミスタが応えた。

「そうですね。それ以外考えられません」

追跡してくる者がいないかと、後ろを見ながらジョルノが言う。

この騒ぎで、警察が動き出したらしい。どこからかパトボートが発する低いサイレンの音が聞こえてくる。

「相手は、自在にモノを消したり、出現させる能力を持っているようだ」

ブチャラティの言葉に、全員がうなずく。

「そのスタンドを使って、機雷を2重3重にばら撒いている」

「まったく、こんなこと繰り返してもラチが明かないよッ！」

ナランチャが応える。〈エアロスミス〉の能力を極限まで引き出したためか、相当にまいっているようだ。

「その通りだ」

ナランチャの意見にうなずき、さらにつけ加えるようにブチャラティは言う。

「しかし、どうもヤツらは、俺たちをどこかに誘導しているように思えて仕方がない」

「誘導？」

ジョルノがブチャラティの言葉に応える。

「気づかなかったか？　機雷の配置にむらがあることに。妙に密集している場所があるかと思えば、ほとんど出てこないところもある……」

「そう言えばそうだな」

ブチャラティの意見にミスタが同意する。

「つまりヤツらは、ただ単純に機雷をばら撒いてるわけじゃないわけだ。一見、水路のなかを引きずりまわしているだけのように見えるが、そうじゃない。機雷を避けようとそればっかり考えてたせいで、いままで全然気づかなかったが……。よく見るとココはサンタンジェロ広場の近くのようだな。ほら、あれを見てみろ」

ミスタが指を差した先、色鮮やかな建物が建ち並ぶ向こう側に、大きな茶色い鐘楼(しょうろう)が見える。六角形の鐘楼の先には、まるで針金でつくったような細い十字架が掲げられており、その横にはアーチ窓がついた白い鐘楼も見える。

「ありゃあ、サンタンジェロ広場から運河を横切ったところに建ってる、サント・ステファーノ教会の鐘楼だ」

「さっすが、ミスタァ!」

ナランチャが大きな声をあげる。

「暇にまかせて、ヴェネツィアをボートで流してたかいがあるってもんだぜ」

照れくさそうに、鼻をこすりながらミスタが言う。

「どこのヴェネツィア女に案内させてたのか、わかったもんじゃねえがな」

アバッキオが混ぜっかえす。

「つまり、我々はヴェネツィアの街を南に下ってるってことですね、ブチャラティ」

「その通りだ、ジョルノ。ヤツらの狙いがなんなのかはわからないが、機雷の罠が我々を誘導するように配置されていることは間違いない」

再び、ブチャラティが口を開く。

「そして、ヤツらが誘い込もうとしているのは、たぶん……」

そう言って、ブチャラティが顔を向けた先には、他を圧倒するほど巨大な大鐘楼が建っていた。早くも暗くなりはじめた空に、すっくと聳え立つ茶色の塔。その先端の三角形の黒い屋根が、夕闇のなかにはっきりと浮かびあがっている。

「サン・マルコ広場だ」

*

「どうやらブチャラティたちは、あなたのトラップに気づいたようですね」

そう言いながら、金髪の少年が柱の陰から現われた。

「おやおや、裏切り者のフーゴ。予定より少し早いようですが」

サン・マルコ寺院の階段に立ち、沈む夕陽を眺めていたソリョラは、背後から現われた

フーゴに驚くこともなく応える。

さきほどまで街のあちこちから聞こえてきた爆発音は、もうすでに収まっている。その代わり、パトボートや救急ボートのサイレンの音が遠くから聞こえてきた。ようやく警察が本格的に動き始めたようだが、その頃にはすでに、戦いは次の場面に移っているというわけだ。

「ところで」

と突然、ソリョラは話の矛先を変えた。

「昨夜の病院の件、襲撃はうまくいったのですか?」

「…………」

「黙っているところを見ると、首尾は上々、というわけでもなさそうですね」

もちろんソリョラは、昨夜の病院の一件について、部下たちから詳細な報告を受けていた。〝少女〟の収容されている病院に、再び〈パープル・ヘイズ〉のウイルスをばら撒き、〝少女〟の能力を覚醒させる……。部下の報告によれば、〝少女〟は自分の能力を最大限に活かしたものの、犠牲者を出してしまったという。

しかし、その方が計画に都合がいい、とも言えた。

「まあ、いいでしょう」

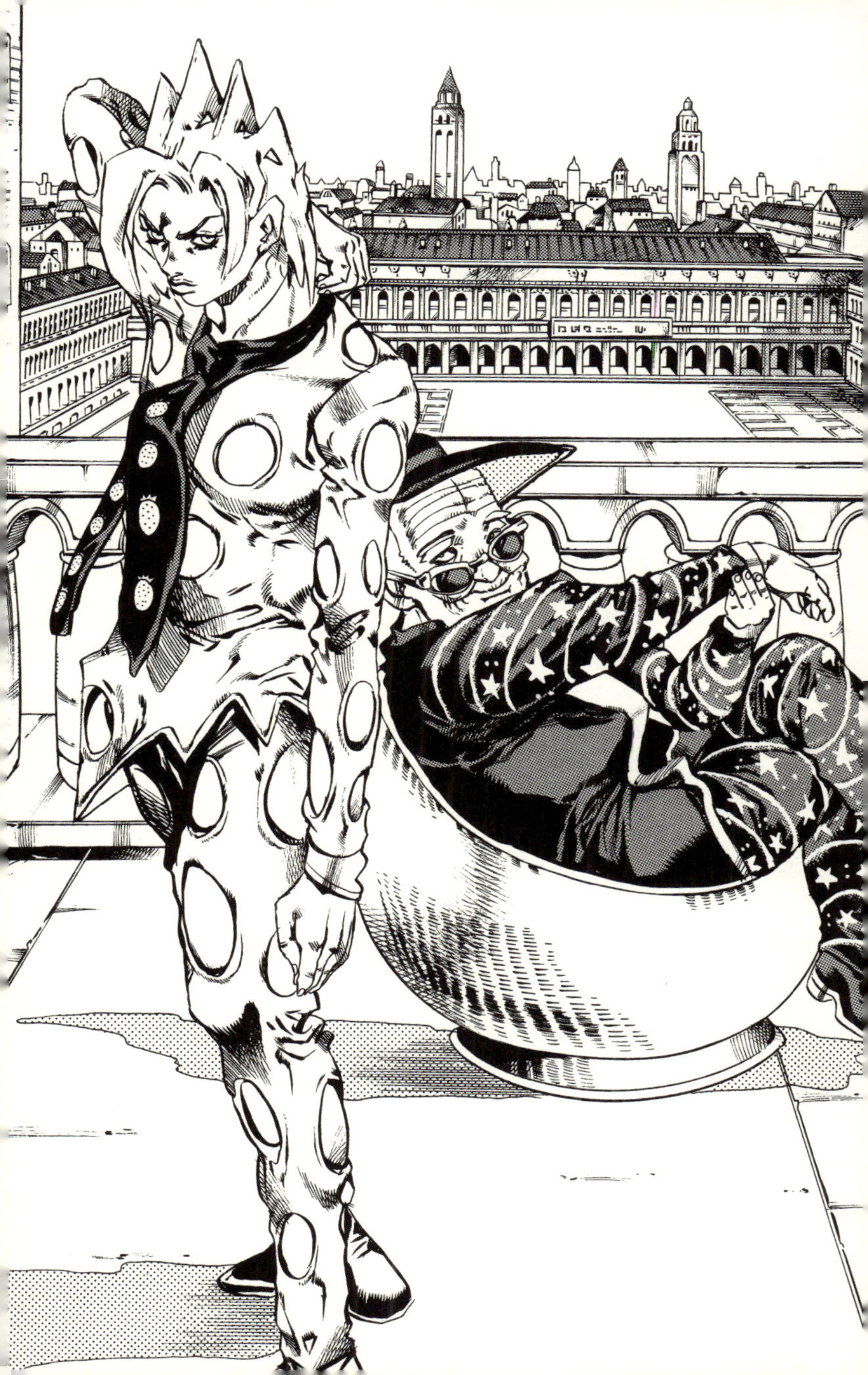

本土の連中から仕入れた情報によれば、このフーゴという少年は、見かけの冷静さとは裏腹に、キレると手がつけられないほどの凶暴さを発揮するという。この大事なときに相手を怒らせるのは、ソリョラの本意ではない。

「とにかく……」

ソリョラはフーゴの方に振りかえり、言葉をついだ。

「ブチャラティたちは、すでにこちらの意図に気づいています。いまごろは、こっちに向かってボートを進めているに違いない。それを考えれば、もうそろそろ次の段階に進んでもいいと思いますがね」

「…………」

そのソリョラの言葉に応えるように、フーゴは広場に向かって歩き始めた。

「では、また後で」

去っていくフーゴの後ろ姿にそう言葉をかけながら、

(まったく食えないガキだ)

と、ソリョラは毒づいた。

第5章

翌日には退院の許可が出された。

出迎えに来たのは、母と昨日病室を訪ねてきたピーター・フォーク氏だった。若い警官の姿は今日はない。もう一度、彼の顔を見れば、一体どこで出会ったのかわかったような気がしたけれど、会えないものは仕方がなかった。

フォーク氏は、自宅の住所を尋(たず)ねただけで「きっとお疲れでしょうから」なんて、どうでもいいようなことをひと言ふた言モゾモゾ話すと、そそくさと去っていった。ホテルの事件がどうなっているか、まるで教えてもくれない。

(疲れてたと言えば、昨日の方がずっと疲れてたんだけどな)

そんなことを思ったが、なにも言わずに、じっと押し黙り、娘の顔を見るなり目にいっぱい涙を浮かべている母親の横顔を見つめているうちに、なにかすべてがどうでもよくなってしまった。

病院の入口で水上タクシーを待っていると、黒い服を着た一団とすれ違った。いかにも生真面目そうな若い男と泣き崩れているまだ若い女性。その横には口髭をたくわえ、がっしりとした体の男が、女性の肩を抱いて立っている。

（あの女の子の家族だわ）

コニーリオはそう思う。

わたしが助けてあげられなかった、あの女の子。若い女性はきっと母親なのだろう。すると、その横の口髭の男は父親か。それとも親戚だろうか。生真面目そうな若者は、たぶん女の子の齢の離れた兄のような気がする。口もとや軽くカールした髪の毛が、どことなく妹によく似ている。

そう考えると、目の前が急に暗くなったようで、タクシーを止めた母の呼びかけに応えることもできない。

*

昨夜の事件のあと、コニーリオは一睡もできなかった。これほどまでに眠りたいと思ったことはなかった——眠ってすべて忘れてしまいたいと心から願うのにもかかわらず、まぶたが重くなるたびに、少女の、そしてウィノナの顔が頭に浮かんだ。

激しい後悔（こうかい）と逡巡（しゅんじゅん）が、コニーリオの胸を痛いほど突き刺した。


老人と付き添い婦から毒を吸い出したあと、コニーリオは〈ザ・キュアー〉とともに、向いの部屋に走り込んだ。しかし少女たちの症状は、ひと目見てわかるほど、急激に悪化していた。

先に部屋に飛び込んだ〈ザ・キュアー〉の後を追う。

「こっちが先よ！」

彼女の指示に従って、白い妖精は廊下側のベッドに寝ていた少女の顔に覆（おお）い被（かぶ）さる。〈ザ・キュアー〉は全身から白い光をほとばしらせながら、懸命に毒を吸い出しているようだった。その巨大な両耳は、天井に向かってこれ以上ないほどに大きく突き出され、先端の青い宝石は、少女の弱々しい呼吸のリズムに合わせるようにゆっくりと点滅している。

その姿を横目に、コニーリオは奥の少女のベッドに走り寄った。

すでに末期症状だった。ズルズルと腐り落ちた肉が、白いシーツを赤黒く汚している。いや、それだけではない。体中から吹き出す体液が、ベッドを黒く染めあげている。額（ひたい）にはべっとりと黒い髪が張りつき、その目からは涙なのか膿（うみ）なのかわからない、黄色い液体

がドクドクと溢れ出していた。

そのせいだろうか、目はすでに白く濁り始めていたが、それでもコニーリオが近づいてくるのがわかったようだった。

「お……お、ねえ……ちゃん」

「大丈夫よ、大丈夫!! もうすぐだからね!」

彼女の方に伸ばされる手を両手でしっかりと包み込む。しかし、ちょっとでも力を入れると、陶器のコップのように粉々になってしまうようで、その弱々しい腕をそっと握りかえすことしかできない。

「あ……熱いの……、から……だ」

そういう彼女の口からゴボッと音を立てて、大きな血の塊が吐き出された。すでに気を失いかけているのかもしれない。

「もうすぐよ!」

同じことしか口にできない自分が馬鹿のように思える。隣のベッドを見ると、ようやく毒を吸い切ったらしい〈ザ・キュアー〉が顔をこちらに向けたのが見えた。

(ああ、助かる!)

そう思ったときだった。少女の手から急に力が失われた。慌てて少女の方に向き直る。

「……‼」

少女は大きく目を開いて、顔いっぱいに苦痛の表情を浮かべていた。と、みるみるうちに顔の筋肉から力が失われていく。握っていた手からも同じように力が抜けていき、そうかと思うと、ポキポキとなにかが折れる音がした。

慌てて手を放すと、放り出された腕はガクリと胸の上に落ちた。それだけではない。ちょうど胸の真ん中にぐっとのめり込む。衝撃で胸にできた凹(くぼ)みから、あの紫色の煙が一筋、ふわりと空中に漂い出した。

その煙は死の匂いがした。そして、コニーリオは生まれて初めて〝人は死ぬとき、瞳(ひとみ)から光が失われる〟という言葉の意味を知った。

「家はやっぱり落ち着くわね」

自分の家でもないのにそうつぶやく母をリビングに通し、ソファに体を横たえる。

なにもする気が起きなかった。ただただ、眠りたかった。しかし眠ろうとすると、昨夜の出来事が嵐のように蘇(よみがえ)る。瞳からふいに光が消える、力なくしなだれる小さな腕。

「お茶でもいれる？」

気をきかせた母がコニーリオに言う。

「…………」

〝お願い〟。そんな単純な言葉を発する元気さえ、コニーリオの体には残っていなかった。わざわざ迎えに来てくれた母に悪い、母は母なりに心配してくれているのだ。そうは思っているのだけれど、でも彼女はいま、ひとりになりたかった。まるで、兄が家からいなくなり、友達がみんなまわりから去っていった中学時代に逆戻りしたみたいだった。

（孤独にはすっかり慣れたと思っていたのに）

ポットから立ち昇る蒸気が窓を白く曇らせる。

「ええっと、紅茶はどの戸棚に入ってるんだっけ？　疲れてるんなら、紅茶よりハーブティーの方がいいかしら？」

つとめて陽気に振る舞う母の後ろ姿をぼんやりと見つめながら、コニーリオは昨夜のことを思い出していた。思い出したくもないのに、思い出していた。


「そこにいるのは誰！」

後ろから急に声をかけられたコニーリオは、慌てて後ろを振りかえる。そこには懐中電灯を手にした看護婦が立っていた。

「あなたは……ああ、あなたは昨日来た患者さんね」

そう言うと、看護婦は部屋の蛍光灯を点(つ)ける。と、少女の方を見て〝アッ〟と小さな声を上げた。

「どうしたの、これは!?」

その問いにコニーリオは答えられない。しかしその看護婦は、そんな彼女の様子に気づくこともなく、廊下に駆け出していった。

「先生、先生!」

静まり返った病院に、看護婦の声がこだまする。

(もう手遅れなのに)

そう思う。そしてそんな冷酷な自分に気づいて、思わず息を詰まらせる。

それから後のことはよく覚えていない。戻ってきた看護婦が、少女の側(そば)から引き離すようにコニーリオの腕を取り、

「とりあえず自分の病室に戻ってなさい」

そう声をかけてくれたように思う。きっと言われなければ、いつまでもずっとそこにいただろうから。

廊下の窓から見た月が、青白く光っていたのを見たような気もする。しかし、気づいたときには、彼女は自分のベッドのシーツをつかんで、激しく嗚咽(おえつ)していた。

悔しかった。ただ悔しかった。自分の力のなさを呪った。もっと早く気づいていたら。もっと〈ザ・キュアー〉の能力を知っていれば。もっと……。しかし後悔しても、すでに後の祭りだった。

このとき彼女は、看護婦の点けた蛍光灯の明かりが、ウイルスが病院中に蔓延するのを防いだことを知らなかった。第一、〈パープル・ヘイズ〉のウイルスが明かりに極端に弱いことを知るはずもない。確かにひとりの少女の命を救うことはできなかったが、少なくともほかの患者たちを巻き込むことは防いだ。その意味でも、彼女の努力は決して無駄ではなかった。

しかも〈ザ・キュアー〉の能力は、ウイルスを患者の体から駆逐しただけではなかった。翌日、この棟に入っている重病患者を検診した医者は、驚くべき事実にぶち当たる。入院していた4人の患者――病状が急変し、死亡してしまった少女を除いた全員が回復に向かっていた。いや、回復に向かうどころの話ではない。あと数日の命、と診断された末期ガンの老人でさえ、ほぼ健康な体を取り戻していた。

「一体、なにが起こってるんだ?」

詳しくは検査の結果を待たなければわからなかったが、少なくともその日、重病患者棟にいた全員が一気に病気を克服してしまったことに違いはなかった。〝きっとあの女の子が死んで、その代わりにほかの患者さんたちが生きかえったのよ〟〝そうそう、彼女の命と引き換えに、残りの人たちが助かったのに違いない〟そんなオカルトめいた言葉を吐く関係者もいたほどだ。

しかし、もしその事実を告げたところで、コニーリオの気持ちが晴れることはなかっただろう。他の4人の命、いや病院にいたすべての命を救ったとは言え、自分の目の前でひとりの少女が死んでしまったことは、動かしがたい事実だった。救うことができたかもしれない命が、目の前で失われてしまうということ。そのあまりにも大きな衝撃に、コニーリオは打ちのめされていた。

(ひどい。ひどすぎる)

友人の死の翌日に彼女を襲った、あまりにも残酷な事件。

それは彼女の心を固く閉ざすのに十分すぎるほどだった。

*

いい匂い――。

鼻をくすぐる爽(さわ)やかな香りに気づいて、コニーリオは目を覚ました。

すっかり眠り込んでしまったらしい。テーブルの上には、母がいれてくれたミントティーが入ったポット。すっかり冷めてしまっていたが、そのやわらかな匂いが部屋のなかに充満している。

「もったいなかったな」

ポットのそばには、〝眠っちゃったみたいだから、ホテルに戻ります〟と書かれた母のメモが残されている。窓から入ってくる月明かりに、部屋のなかは明るい。

ソファに横になっていたため固くなった肩をもみほぐす。小さな音を立てて、肩が鳴った。せっかくだから、そう思って、冷めたお茶をコップに注ぎ口をつける。

「ん？」

ミントティーだと思って口にしたのは、ただの紅茶だった。

じゃあ、あのミントの香りは一体……!?

そのとき、コニーリオは気づいた。この部屋に誰かいる！　いや、誰かではない。あの金髪の少年、この災厄の元凶であるあの少年がこの部屋にいるのだ!!　そう気づき、思わず身じろぎし、枕代わりに使っていたクッションを握りしめる。

「どこにいるの！」

そう声をあげると、カーテンの陰からひとりの男がゆっくりと現われた。やっぱりそうだった。あの少年だ。ホテルで、病院で、いつも影のように現れたあの少年。

「あなたは一体誰!? 何者なの!」

手の震えを押さえ込むように、両手でクッションをつかむ。思い切って少年に向かって投げつけるが、彼はいとも簡単に手で払いのけてしまう。と、一歩、コニーリオの方に歩み寄った。

間近で見る少年の顔は、恐ろしいほど美しかった。月明かりに照らされた、まるで女性のようなあごの稜線(りょうせん)。顔の前に垂らした洗いざらしの金髪。小さいがきつく結ばれた口元。そして、その目。どこか悲しげに見える彼の目を、コニーリオは吸い寄せられるように見つめかえす。

少年はさらに一歩近づくと、ふいに部屋の窓へ顔を向けた。ゆっくりと窓へ向かって歩くと、再びコニーリオの方へ向き直る。

「外を見てみろ」

初めて聞く少年の声は、意外なほど大人びていた。なんとかという西部劇に出てきた俳優のような……。あれはクリント・イーストウッドだったろうか、それともジュリアーノ・ジェンマだったろうか。確か昔、兄に連れられて、ローマ郊外の古い映画館で見たような気がする。

そんなことを思い出しながら、コニーリオは少年の声に促されて立ちあがった。

窓からの眺めは、コニーリオの想像を絶していた。

「……！」

そこにはただ闇が広がっていた。

真っ暗闇と化したヴェネツィアの街。家々から漏れる団欒の明かりも、行き交う人を照らし出す街灯の明かりも、さらには水辺を行く遊覧船の明かりもすべて消え、ただ漆黒の闇があたりを支配している。しかし、いつにも増して光り輝いている月のおかげか、街の様子はぼんやりとながら見ることができる。

コニーリオの家の前の広場には、何人もの人が倒れていた。折り重なって抱きあうように倒れているカップル、杖をついて立ちあがろうとしている老人。壁にもたれかかり酔っぱらいのようにだらしなく両手を広げた若者……。

そしてその真ん中、ちょうど広場の中央に禍々しい空気を全身から放ちながら、あの紫色の怪物が立っていた。と、素早い動きで近くの街灯に近寄り、物凄い速さで拳を叩き込む。みるみるうちに、街灯の柱が曲がり、ゆっくりと倒れた。地面にぶつかったとき、ガラスの割れる小さな音が聞こえた。馬鹿みたいに小さな、鈴のような音。

「や、やっぱり、やっぱりあなたなのね、こんなひどいことをしたのは！」

隣に立つ少年に向かって、コニーリオは訴える。

「……………」

「ウィノナやあの女の子を殺したのは、あなたなのね!!」

コニーリオの声はほとんど絶叫に近くなっていた。しかし、少年は彼女のそんな訴えにも顔色ひとつ変えない。

「ひどい、ひどすぎる！」

コニーリオは少年に殴りかかりたい衝動にかられた。握り締めた拳が小さく震える。怯えからくる震えではない。怒りだった。目もくらむような怒りが、彼女の全身を支配していた。

「なぜ？　なぜこんなことをするの？」

「……君とは、こんな出会い方をしたくなかった」

いままでコニーリオの問いかけにまったく答えようとしなかった少年は、突然そう口にした。

「………？」

思いもしなかった少年の不意の言葉。

「いま、下では多くの人が苦しんでいる」

少年は、彼女の目をまっすぐ見つめながら、再び口を開いた。

「……………」

「そして、君には彼らを救う能力がある」

コニーリオの方へ、さらに一歩近づく。

「さあ、どうする？」

どうする？　そう問いかけられたコニーリオは、体がどんどん固くなっていくのがわかった。どうする？　どうすればいいいんだろう？　わたしはどうしたいんだろう？

「どうする……どうするって……」

「助けるんだ」

少年の言葉が、彼女の頭を殴りつける。助ける……。そう、〈ザ・キュアー〉を使えば、下にいる人たちを救うことができる。でも……。

「でも、全部は救えないわ！」

「いや、そんなことはない。君ならできる」

「できない」

「……………」

「できないわよ！」

コニーリオは、ほとんど泣き出しそうな声をあげた。しかし、そんな彼女に向かって、そう、まるで聞き分けのない子供をしかる母親のように、少年はこう断言する。

「やるんだ」

と、次の瞬間、少年の姿は暗闇のなかに掻き消えていた。慌てて部屋を見まわしたが、そこにはもう誰もいなかった。

＊

アパートの階段を駆け下りたコニーリオが玄関の扉を開けると、突然、死の匂いが鼻をついた。そうだ、病院で死んだ少女の最期、胸に開いた穴から立ち昇る紫色の煙を吸い込んだときの、あの匂い。ホテルのロビーを覆っていた、胸のむかつくような甘い甘い腐臭。その腐臭が、いまや街全体を包んでいた。

いつもなら、家路を急ぐ人や観光客が行き交い、決して賑やかとは言えないまでも、夜遅くまで人通りが絶えないこの通りを、いまやどこからか聞こえてくるさまざまなうめき声が支配していた。もちろん、明かりはひとつもない。

月の明かりは、紫色の煙を通して、異常なほどギラギラと輝いている。玄関のすぐ横を

見ると、まるで扉に手をかけようとしているかのように、ひとりの老婆が倒れていた。慌(あわ)てて駆け寄ると、頭にちょうどリンゴほどの大きさの青いコブができていた。顔のあちこちに爪でひっかいたような赤い傷がついていて、その裂けた傷口からは、果物(くだもの)が腐ったような匂いがする。

「〈ザ・キュアー〉、まずはこの人からよ！」

コニーリオの声に反応して、彼女の後ろから白い塊が飛び出した。鼻をクンクンと小さく2度鳴らすと、すぐさま女性の口に顔を寄せる。

〈ザ・キュアー〉が老婆を助けている間、コニーリオはあたりの状況を素早く確認する。懐(ふところ)から懐中電灯を取り出し、アパートの前を照らし出す。ひとり、ふたり……。うん、これならまだ間に合いそうだ。

と、老婆から毒素を吸い出し終えた〈ザ・キュアー〉が、壁に寄りかかって盛大に血反(ちへ)吐(ど)を吐き散らしている若者のもとへと駆け寄る。昨夜よりも、遥かに手際よく毒素を処理できているようだ。吸い出すスピードは、どんどん速くなっている。

いままでは、心なしか〈ザ・キュアー〉の体が大きく、逞(たくま)しく見えた。

「その男の人が終わったら、今度はベンチの向こうよ！」

そう〈ザ・キュアー〉に呼びかける。

広場から運河へと伸びる路地沿いに、バタバタと人が倒れている。あの紫の怪物は、どうやら運河に向かって移動しながら災厄を撒き散らしているようだ。

一体、あの怪物はどこまで行ってしまったのだろう。わたしは、あいつに追いつけるのだろうか……？

被害の範囲は、家の前の小さな広場から運河に向かう通りを抜け、さらに、ヴェネツィアの中心部へと向かっているようだった。広場の人々をひととおり見てまわったあと、コニーリオと〈ザ・キュアー〉は、倒れている人々に声をかけながら、通りに沿って進む。

ひどい惨状だった。あちこちにうずくまる人の影が見える。

（まるでモンド・アーリアの屋根裏みたい……）

運河の方に歩みを進めながら、コニーリオが思い出していたのは、もう長年使われることなく放置されていた、ホテルの屋根裏部屋の風景だった。

その部屋はいまでは物置として使われていて、すでに鍵盤が壊れてしまったピアノや、弦の切れたハープ、錆びついた鳥籠、ひび割れたガラスや便器が放り出されていた。蜘蛛の巣があちこちにかかり、部屋の隅には花の咲いたあとのタンポポのような、大きな白い綿ぼこりが溜まっていた。

そう、あの綿ぼこりのようだ。荒れ果てた屋根裏の、隅に固まる綿ぼこり。

すでに多くの人々がこと切れていた。まだ息のある人には、祈るような思いで〈ザ・キュアー〉を差し向けたが、白い塊が口を当て、毒素を吸い取っている間にも、生気を失っていくことがほとんどだった。

そこらじゅうに撒き散らされたベトベトする体液の水たまりに足を突っ込んでは滑り、綿ぼこりのように転がる死体の山を見ているうちに、コニーリオは、自分が崖の端を目隠しをつけたまま歩いているような、そんな気分に襲われていた。

最初の頃は助けられた人の数を数えていたが、途中からはやめてしまった。思考は同じところをグルグルとまわり続け、死の匂いが神経を麻痺させる。

(一体、なんなのよ! みんなを救い出すなんて、やっぱり無理じゃない!!)

コニーリオは、あの金髪の少年を憎んだ。と同時に、そんな少年の無根拠な甘言にやすやすと乗せられた自分に腹が立った。

冷静に考えれば、すでに事態は彼女の手に負えるものではなくなっていたのだ。しかし、事件の当事者がそれを理解することは難しい。一度事件に巻き込まれた者には、事件の全体を眺める余裕などあるわけもないし、目の前の出来事に対処するだけで精一杯だ。

いまのコニーリオは、まさにその状態にあった。体中を駆け巡る怒りの奔流と、それをなんとか抑え込もうとする忍耐、そしてこの悲惨な状態が解決できるかもしれないという希望とそんな希望を生み出す自分の能力を呪った。

彼女が感情の奔流に突き動かされ、夢遊病者のように歩みを進めている間にも、〈ザ・キュアー〉は手当たり次第に倒れている人たちの救助にあたっている。毒素を吸い尽くすことが喜びであるかのように、夢中になって死者たちのあいだを跳ねまわる白いウサギ。巨大な両耳が楽しげに揺れ、死の匂いを嗅ぐことが悦びであるかのように、小さな鼻をひくつかせる。

そして、〈ザ・キュアー〉の体は目に見えて大きく成長していた。

暗闇と化したヴェネツィアの街を進むコニーリオたちの前に、小さな明かりが現われた。大運河を渡るリアルト橋の向こう。古びた教会へ伸びる路地の奥に炎が見える。チロチロと、まるで蛇の舌のように暗闇を舐める赤い炎。

「〈ザ・キュアー〉！」

思わず大きな声をあげてしまう。もちろん、炎があがっているということはなにか事件が起きているに違いない。冷静に考えればそのことに思い当たらないはずはないのだが、

このときの彼女は、暗闇から逃れられることが無性に嬉しかった。炎があるということは、救急隊員がいるかもしれない。もしかしたら生きている人がいるかもしれない！

足が勝手に走り出していた。炎の明かりによって、周囲よりもいっそう濃い闇に包まれた路地を足早に駆け抜ける。路地の先にあったのは、ごうごうと音を立てて燃え盛る古びた旅館だった。

すでに手がつけられる状況ではなかった。メラメラと燃え広がる炎によって、壁や柱が黒く焦げ落ち、屋根もまた大きく崩れている。吹きつける熱風。目を凝らすと、逃げ遅れた住人が消し炭のように黒焦げになって、玄関のところに転がっていた。

（体が熱い）

コニーリオは、そう思った。

（熱いわ）

これほど激しい火事にもかかわらず、通りには誰もいない。サイレンを鳴らしながら放水する消防ボートも、激しいライトを浴びせ掛ける新聞記者も、騒ぐだけしか能のない野次馬たちも。

誰もいない。ただ、家が燃えていた。

あまりにも多くの死者たち。救えたかもしれない死者たちと、救うことがかなわなかった死者たち。目の前で繰り広げられる熱狂的な炎の舞いを呆然（ぼうぜん）と眺めていた。

炎のなかに黒い影が見えた。疲労が生み出した幻かもしれない、そう思いながらコニーリオは目をこする。その影は炎と情熱的なダンスを踊っていた。体についた火を消そうとしているのか、胸や足や腕を激しく振りまわし、叩きつける。そうこうしているうちに、炎は全身を包み込み、崩れ落ちた瓦礫（がれき）の向こう側に姿を消した。

ああ、死んでしまったんだな。

気づいたときには、涙が勝手に流れていた。

誰もいなくなった暗闇の街に、教会の鐘が響きわたる。まるで、死者たちの旅立ちを祝うように。その小さな音を、彼女は聞いた。

第6章

ヴェネツィアは、〝水の都〟だとよく言われる。小さなゴンドラが行き交う古都の趣き。手漕ぎのボートに揺られて恋人たちは語りあい、中世の姿を留めた教会や劇場、各国の大使館として使われていた無数の建物が、その魅力を競いあう……。

しかし、それはヴェネツィアの数多くの顔のうちのひとつでしかない。

例えばいま、サン・マルコ寺院の前に広がる巨大な広場——サン・マルコ広場を覆っている高潮もまたヴェネツィアがどんな都市かを、私たちに教えてくれる。

〝アクア・アルタ〟と呼ばれるこの高潮は、毎年10月から4月の間——冬の冷たい風がアドリア海から吹きつける頃によく見られる現象だ。ヴェネツィアを取り囲む巨大な潟、いわゆる〝ラグーナ〟の3つの取水口から海水が逆流し、この街に洪水をもたらす。

その原因はひとつに特定できるものではなく、高潮や気圧の変動、風圧など、さまざまな自然現象が複合的な原因となり、街のあちこちを水没させる——特に、地盤沈下の激し

いサン・マルコ広場周辺は、道が完全に水を被ってしまい、ひどいときには通行止めとなることもあるという。もちろん、ラグーナの取水口につけられた巨大な水門システムが常に潮の流れをコントロールしているのだが、今日はそのシステムが作動不能に陥るほどの、異常な高潮、過去に例を見ないほど激しい〝アクア・アルタ〟が発生していた。


「停電と言い、高潮と言い、まったく不気味な感じだぜ」

慎重にボートを操作しながら、ミスタがつぶやく。

時刻はすでに夜の10時過ぎ。いつもなら美しくライトアップされた街並みが眺められるはずの大運河を、ボートはゆっくりと南西に向かう。すでに機雷の密集地帯は通り抜けたようだが、今度は停電によってもたらされた自然の闇と、高潮による地形の変化——油断していると間違って岸壁や歩道に乗り上げ、座礁してしまう——が、ブチャラティたちの行く手に立ちはだかっていた。

「にしても、怖いくらいに反応がないよ」

暗闇のため、建ち並ぶ建物は黒い影と化し、視界は限りなくゼロに近い。ナランチャが操る〈エアロスミス〉のレーダーと、ミスタの勘だけが頼りだった。

「まるで人が誰もいないみたいだ」

ナランチャのレーダーには、ほとんど反応がなかった。小さくまたたく赤い点と、いまにも消え入りそうな赤い点がいくつか。そのほかは、いま彼らを取り囲んでいる闇と同じようにじっと沈黙を守っている。いや、ただひとつ、ほかよりひときわ大きく輝く点があった。そいつは、彼らが目指すサン・マルコ広場のあたりにいるらしかった。

「……静かじゃねえか」

黒く光る水面をじっと見つめながら、アバッキオが言う。

「しかも、あの鐘の音(ね)。一体、なんなのかしら」

アバッキオの言葉に応(こた)えて、トリッシュが怯(おび)えたように口にする。

初めは小さく響いていた鐘の音。それはどうやら、サン・マルコ広場に立つ〝大鐘楼(だいしょうろう)〟からのものらしかった。その証拠に、ボートが近づくにつれてその音は大きく、脳髄(のうずい)に直接叩(たた)き込(こ)まれるような大きさで響きわたる。

「きっと、組織のやつらがやっているのでしょうが……」

と、ジョルノは応え、ちらりとリーダーの方を向いた。

しかし、彼らを率(ひき)いる肝心(かんじん)のリーダー――ボートを操縦するミスタの横に立ったブチャラティは、じっと前方の暗闇を睨(にら)んだまま応えない。

「まあ、やつらの罠(わな)だってことは間違いねぇな」

なにも言わないリーダーに代わって、ミスタが応える。

そのときだった。

「うわああッ」

肩口を押さえて、ナランチャがのけぞる。バランスを崩したナランチャが慌てて（あわ）ボートのへりにつかまり、勢いをくってボートが激しく揺れた。と、次の瞬間、なにか小さな青い塊（かたまり）がナランチャの肩から飛び出し、すごい勢いで広場の方へ戻っていく。

「な、なんだ!!」

「大丈夫ですか！」

操縦席のミスタがすぐ右に座っていたナランチャを振りかえる。ちょうど後ろに座っていたアバッキオの足元に、ナランチャは倒れ込んでいた。

「だ、大丈夫……」

「一体、どこから撃ってきやがったんだ!?」

素早く周囲を見まわすアバッキオ。しかし、敵の姿は見えない。だいたい彼らはいま、運河の上にいる。気づかれずにボートに近づくのはほぼ不可能に近かった。

「しっかりしてください、ナランチャ!!」

撃たれたナランチャの肩に、ジョルノが手をかける。

ジョルノのスタンド、〈ゴールド・エクスペリエンス〉には、傷を回復する能力があった。いや、正確に言えば、それは回復能力ではない。無生物から生き物をつくりだす——生命のないものに命を与える能力だった。レンガをカエルに、スプーンを蝶に、そして鉄の破片をコウモリに。この能力をフルに使えば、手近にある道具を人間の体の一部につくりあげることなど朝飯前だ。

と、ナランチャが肩にかけられた手を押さえて訴える。

「ジョルノ！　見えないんだよ!!」

「見えないって、なにがですかッ」

「オレの、オレのスタンドが……、〈エアロスミス〉が消えちまった!!」

＊

〝リガトニ〟と呼ばれるその男は、見張り台の上で待ちつづけていた。

ヴェネツィア一の高さを誇る〝大鐘楼〟。大きな音を立てて鳴り続けるその鐘の隣で、男は標的が来るのをじっと待っていた。

無精髭を生やした精悍な顔。すでに髪は白く染まり、髭のあちこちにも白いものが混じ

ってはいるが、極限まで鍛えられたひきしまった肉体が黒い着衣の隙間から見え隠れしている。

リガトニは、組織に属するヒットマンだった。しかも、特殊な任務のみを任されてきた凄腕だった。組織のなかで彼のことを知る者はほとんどいない。彼の存在は、一部の幹部にしか知られておらず、末端の構成員たちが彼のことを知るのは、往々にして最期のときだった。

なぜそれほどまでに、この男の存在が秘密にされていたのか。その理由は簡単だ。

リガトニは、スタンド使いのみを標的にする、スタンド・キラーだった。そして、言うまでもなく、彼自身もまたスタンド使いだった。

イタリア全土に影響力を持つ組織。しかし、数万人とも言われる構成員のなかで、スタンドが使えるものはごくひと握りしか存在しない。しかも、その多くは幹部クラスの座につき組織の中枢として機能している。

スタンド使いを殺さねばならない――。

そんな切羽詰まった局面とは、言い換えれば内部抗争が勃発したときである。地域での権力争い、陰謀、絶え間ない憎悪。彼は、そのすべてに係わってきた。リガトニが動くと、そのあとには山のような死体が残される。多くの幹部たちは最後の切り札としてリガトニを使い、その存在をひたすらに隠し続けてきたのだった。

彼の能力は、なにをおいても、高度な射撃能力にある。沖を飛びまわるカモメの目を撃ち抜くことさえできる、という根も葉もない噂（うわさ）すらあった。もちろん、それはただの噂だ。これまでにカモメなんぞを撃ったこともないし、撃つ気もない。なぜなら、彼が標的にしてきたのは、常にスタンド使いだったから、である。

もちろんそれには理由がある。彼の能力の源（みなもと）は、標的となるスタンド使いのスタンドパワーそのものだった。

リガトニが発射する弾丸には、〈パブリック・イメージ・リミテッド〉という青いスタンドが棲（す）みついていた。精霊は、極（きわ）めて正確に弾丸を相手の体に誘導する。しかも、スピードは通常の4倍。途中にどのような障害物があったとしても、すべてをぶち抜いて敵に到達する。射程は１５０メートル。ビルをふたつ突き破って、標的の男を殺したという伝説が残るほどの壮絶（そうぜつ）な射撃能力だった。

しかし、この能力にはひとつ弱点があった。弾丸に棲むスタンドは、相手の体に到達すると同時にそのパワーを使い切ってしまう。自らの力を使い尽くすがゆえに生み出される恐るべき射撃能力。しかし、パワーを使い切ることは、スタンド自身の死をも意味してい

STRONG

た。そして、スタンドの死は、すなわちスタンド使いの死でもある。

しかし、リガトニは生き延び続けていた。それはなぜか？

その秘密は、〈パブリック・イメージ・リミテッド〉のもうひとつの能力にあった。そのもうひとつの能力とは、相手のスタンドのパワーを吸収すること。標的の体に食い込んだスタンドは、その相手から消費した分のパワーを回収した。

確実に相手を倒すつもりであれば、持てるパワーをすべて使い切ってでも殺す。逆に、負傷させる程度でよければ、力をセーブした状態で攻撃すればよかった。もちろん、使ったスタンドパワーは、確実に相手から取り戻す。それに、一時的にしろスタンドを失った相手が、彼の相手になろうはずもなかった。

男がスタンド使いしか標的にしてこなかったのは、こうした理由からだった。いずれにしろ標的は、愛用のライフルの先端に取り付けられたスコープで狙われた、まさにその時点で、すでに彼の手中にあるというわけだった。

*

刺激的な人生には、いつだってスパイスが欠かせない。だから、すでに第一線を退いてから数年が経つが、いまでもこうして突然、戦線に狩り出される。今回も、ヴェネツィア

を取り仕切るケチなチンピラからのお声がかりだった。

(ソリョラとかいうあのクソジジイはまったく気にいらないが……)

男はぼやく。

(今度の仕事は悪くない……)

「なにせあの坊やと再会できるんだからな」


「とにかくここは危険だ。どこか接岸できそうなところはありませんか」

揺れる船の上でなんとか応急処置を済ませたジョルノが、ミスタに声をかける。

「接岸できるところったって、こんな状態じゃあな……」

ミスタは素早く周囲を見まわしながら応える。例年以上の〝アクア・アルタ〟のため、どこが岸でどこが運河なのか、その区別もつかない。しかも、ヴェネツィア全市にわたる大停電とあっては、そう簡単に身動きも取れない。

と、そのミスタの耳のすぐ側(そば)を、切り裂くような風が吹き抜ける。

「ぐはッ!!」

腹部を押さえながら、床に膝(ひざ)をつくアバッキオ。

「しまった!」

「敵はどこだ!!」

ジョルノとミスタが同時に声をあげる。

「一旦、ここは退避だ！　ジョルノ、トリッシュ！　ここに!!」

そう言うと、ブチャラティはボートの底に手をついた。見ているうちに、巨大なジッパーが手のなかに現われ、その手を大きく動かすのにあわせて、ボートの床にだんだんと大きな穴が開いていく。穴のなかは、真っ暗な空間だ。

〈スティッキィ・フィンガーズ〉と呼ばれるブチャラティのスタンドはいたるところにジッパーを作る。左右の拳で殴られた箇所には、まるでだまし絵のようにジッパーが取りつけられ、それを開けることで壁や地面のありとあらゆるところが行き来できるようになった。攻撃の射程距離は短いが「ジッパー」という能力が突出し、成熟しているスタンドだ。

一見、あまり役に立ちそうもない能力だったが、自分の体を自在に変形させて敵の攻撃を避けたり、はたまた今回のように退避場所をつくったりと応用の幅は広い。さらに、この世にいるスタンドのなかでも上位に入る攻撃力とスピードをもってすれば、怖れるべきものはなかった。

「ミスタ！　お前もだ!!」

すでにジョルノとトリッシュをジッパーのなかにひきずり込んだブチャラティは、操縦

席のミスタに声をかける。

「……いや、待ってくれ、ブチャラティ」

「どうした‼」

「たぶん、そんな小細工が通用する相手じゃねえ」

ミスタは目の前に広がる暗闇を凝視(ぎょうし)する。

「こんなところで会えるとは思ってもみなかったぜ」

そう小さく叫ぶと、ミスタはひときわ高く聳(そび)え立(た)つ巨大な塔に向かって、ボートのスピードを上げた。

「勝負をつけてやる！　俺の〈セックス・ピストルズ〉とあんたの〈パブリック・イメージ・リミテッド〉、どっちが勝つか‼」


この世界に入ったばかりの頃のミスタは、まだ右も左も知らない若造だった。

ケチな殺しや内部抗争に明け暮れる毎日。〈セックス・ピストルズ〉という強力なスタンドを武器に、次第に組織の内部へと入り込んでいったが、彼のところに持ち込まれるのは、いつもそんな仕事ばかりだった。

「俺じゃなくても、構わねぇじゃねえかよ」

そんなことをよく仲間にこぼしていた頃のことだ。

ミスタはリガトニと呼ばれる男と出会った。

対抗勢力の勢いを削ぐため、ボスの右腕と目される人物を暗殺するという仕事。しかし厄介なことに、この男はスタンド使いだという噂だった。このときすでに、ミスタは何人ものチンピラや幹部を葬り去り、目覚ましい成長を見せていたが、スタンド使いと戦うのは初めてだった。

（なあに、なんとかなるだろ）

そうは思っていたが、初めての経験にビクつかないわけではない。

リガトニは、その作戦のリーダーだった。スタンド使いのみを標的にする凄腕の男。

本来は、集団行動を行なうような男ではなかったが、相手がスタンド使いでなかった場合は、即座に仕事から手を引くという。そのための補佐として、ミスタが呼び出されたというわけだった。

標的は、上層部の読み通り、スタンド使いだった。そのときのことはあまり思い出したくない。ミスタが組織に入って初めて屈辱を味わった仕事だった、とだけ言えばいいだろ

う。そのとき、窮地に陥ったミスタを救ったのはリガトニの一撃だった。

　あのとき目の前を通りすぎた青い塊を、生涯俺は忘れられないだろうな。そんなふうに思う。

　敵が地面に倒れる音が聞こえ、それからしばらくして床につっぷしているミスタの前に2本の脚が現われた。左足を少しひきずっているようだった。

「大丈夫か」

　そう言って、リガトニはミスタを壁によりかからせてくれた。大きく息をひとつ吐き出す。

「ああ、大丈夫だ」

「そうか」

　それだけ言うと、男は標的に向かってゆっくりと歩いていった。

(死んでるか、確認するんだな)

　そう思った。しかし、ミスタの予想は違っていた。リガトニは、標的だった男の死体に向かって、こう言ったのだ。

「古き友よ、今回は運が悪かったな。しかし、俺ももうしばらくでお前のところに行けるだろう。そのときは一緒に乾杯でもしよう」

濁っていく意識のなかで、ミスタはそんな言葉を聞いた。

それからしばらく、ミスタはリガトニとタッグを組んで仕事を続けた。どうしてそんなことになったのかはわからない。

性格は、正反対だった。やることなすこと、すべてにおいて衝突を繰り返した。つかみあいの喧嘩はいつものことだった。それでもタッグは解消されなかった。

しかし、そんなふたりの共闘もある日突然、消え去っていた。

ある女を暗殺する、という依頼だった。女はスタンド使いだという噂で、

（今回はオレの出番はないいな）

と、ミスタは呑気に構えていた。それが油断につながったと言えば、その通りだ。

結局、女は逃げた。ほぼ致命傷だったにもかかわらず、現場から消え失せた。

実際のところ、女はスタンド使いではなく、ミスタがトドメをさすはずだった。しかし、最後の最後でミスタは任務に失敗した。

戻ってきたミスタを、リガトニは激しくなじった。彼に言わせれば、標的を仕留められないヒットマンは、死んだも同然だった。相手を倒すことこそが重要、そうリガトニは言

い切った。〈パブリック・イメージ・リミテッド〉は、まさにそのためだけに生まれてきたようなスタンドだったのだから。しかし、ミスタの意見は違った。

何度か激しい言い争いがあって……、でもそれだけだった。朝、起きたら、あいつはいなくなっていた。

（そんなもんだろう）

とミスタは思った。しかし、いま思い返すと、それは自分を欺いていたのだとわかる。仲間の信頼を裏切ること。それは、決してあってはならないことだった。裏切りには、常に高い代償が待っている。

「その代償を払わされてるってとこだな」

ボートはすでに、サン・マルコ広場に乗り入れている。水深は1メートルもない。ボートの底が石畳にぶつかり、そのたびに激しく船体が揺れる。

リガトニは、鐘楼の上にいるはずだった。暗殺者は、攻撃に適し、かつ敵からの攻撃を受けにくい場所を選ぶ。ただの勘だったが、あいつならそうするだろうと思った。いや、オレならそうすると言った方が正確か。

次の一撃が来たら、間違いなくオレはやられる。

ミスタはそう覚悟していた。それまでに、なんとかしてリガトニを〈セックス・ピストルズ〉の射程に入れなければならない。ガタガタと揺れ続けるボートを押さえ込むように、鐘楼に差し向ける。たぶん、あいつなら待ってくれる。正面から勝負を挑(いど)むのが好きなあいつなら。

リガトニは、鐘楼に一直線に向かってくるボートを見つめていた。先頭には、彼が待ち望んでいた相手――ミスタが舵(かじ)を握っている。残りの連中は、後まわしだ。最初に倒すべきは、愛すべき愛弟子(まなでし)。ふたりの仲間を殺さなかったのは、そのためだった。

右手のグローブをはめ直す。ここが〈セックス・ピストルズ〉の射程に入るまで、あと数秒。そこが勝負のときだ。それは、ヤツも十分わかっているだろう。

「〈セックス・ピストルズ〉じゃ、オレにかなわない。そのことをよく教えてやるよ」

そうつぶやくと、リガトニは愛用のライフルを右肩に乗せた。

「いくぞ、お前らァ!!」

ミスタの掛け声に、小さな金ぴかのスタンドたちが一斉に応えた。

「オリャア!」

「ハヤクッ！　ハヤクッ！」

「ヨッシャア!!」

その声を聞いて、ミスタはニヤリと笑みを浮かべる。

鋭い銃声が広場に轟く。先に銃弾を放ったのは、ミスタだった。しかし、男のいる鐘楼の天辺までは届かない。続けて2発、3発と撃ち込む。先頭の銃弾を後から撃った2発で押し上げ、鐘楼まで届かせようという作戦だ。

最初に発射された1発目を、ナンバー1が空中で受けとめる。続けて発射される2発目、3発目にはそれぞれ、ナンバー2とナンバー3、ナンバー5とナンバー6がくっつき、通常以上のスピードで空中の弾に衝突させる。〈セックス・ピストルズ〉の正確かつ素早い能力だからこそできる芸当だった。

「甘いッ」

リガトニは、顔を横に数ミリ動かしてやってきた銃弾を避けた。しかし、完全には避け切ることができない。頰をかすめる小さな痛み。

「随分と射撃の腕も上がったようだな」

そう言いながら、リガトニの銃口は、しっかりとミスタの頭部に狙いを定めていた。

「あと少し、あと少しだ」

「予想通りッ」

ミスタは再び銃を構えると、今度は真上に向けて垂直に3発、弾丸を放つ。普通の人が見たら、戦意を喪失したように思われる行動だが、もちろんそうではない。先ほどの攻撃で空中に散らばった〈セックス・ピストルズ〉たちが、やってくる銃弾を次々にパスしてまわす。それによって、銃弾は普通ではありえないようなジグザグな軌道を描くことができるのだ。つまり、どこから狙われているか、狙撃される方は予想もつかない。

3発の銃弾は、それぞればらばらな方向から、鐘楼の男に向かって突き進む。

「面白い作戦だな。だが、少し距離がありすぎる」

リガトニは、すべての弾道を見切っているようだ。事実、後の3発は、男の体にかすることもなしに、次々と壁に当たる。飛び散る破片をものともせず、男はスコープを覗き込んでいた。

「チクショーッ！」

「モウスコシダッタノニ！」

口々に〈セックス・ピストルズ〉たちがわめいた。

ミスタの顔は、いまや肉眼でも確認できるほど近づいている。と、そのとき、ミスタがふいに横を向いた。リガトニのスコープには、ミスタのこめかみがはっきりと写し出されていた。

「ロックは死んだ。しかし、ポップスは生き残る。あばよ、ミスタ！」

引き金にかけたリガトニの指が、小さく動く。

暗闇を切り裂いて、青白い炎がボートの上のミスタに向かう。

「ミスタ、来ましたよッ！」

いつの間にかミスタの横に立っていたジョルノが声をかけた。

「よしッ!!」

そう言うと、ついさっきシリンダーに込め直したばかりの銃弾を、その青い炎に向かって撃ち込んだ。みるみる接近するふたつの銃弾。それがいままさに交差しようとした瞬間だった。

ミスタの放った銃弾が、突然巨大なコウモリに変化した。予想だにしなかった展開に、スコープを覗き込んでいたリガトニは、小さく声をあげてしまっていた。

とはいえ、〈パブリック・イメージ・リミテッド〉の能力はその程度のことではビクともしない。通常の弾丸の数倍にまで攻撃力を強化されたリガトニの銃弾は、まっすぐにコ

ウモリの体を突き抜ける。

　しかし、このとき、すでに勝負はついていた。

＊

　ミスタの作戦は、いたって単純なものだった。とにかく至近距離に接近して、ヤツが撃ってくるのを待つ。そのためには、弾を6発撃ち切って、リガトニにつけいる隙(すき)をつくらねばならない。最初のふたつの攻撃は、そのためのものだった。ヤツに弾を撃たせるためのミスディレクション、ってやつだ。

　6発撃ち切ったところで、ミスタは弾を込め直す。そのわずかな隙が、リガトニにとっては絶好のチャンスだった。ヤツがこれを逃(のが)すはずはない。

　しかし、ミスタにとっては、リガトニに攻撃させることこそが重要だった。実力勝負では、ヤツの方が上。ミスタが勝てる確率は限りなくゼロに近い。相手の裏をかかなければならなかった。

　リガトニの弾が、リガトニ自身を攻撃する。

　そんな曲芸ができたのは、ジョルノの〈ゴールド・エクスペリエンス〉のおかげだった。ヤツの注意を引いている間に、あらかじめ渡しておいた銃弾にジョルノが〈ゴールド・エクスペリエンス〉の能力を注入し、コウモリに変化させる準備をする。そして、ヤツの放った〈パブリック・イメージ・リミテッド〉に向かって、銃弾を撃ち込む。

〈ゴールド・エクスペリエンス〉には、無生物を生き物に変える能力があった。しかも、その生き物を攻撃すると、同じダメージが攻撃者自身にも振りかかるという副作用があった。

　そう、コウモリの体を撃ち抜いた弾丸は、同時にリガトニの心臓をも貫（つらぬ）いたのである。

　男は突然、自分の胸部を襲った重い衝撃に驚いた。

　銃弾は見えなかった。しかし、あのコウモリ……あのコウモリがなにかの作用を及ぼしたのは間違いない。なにが起こったのか、リガトニには皆目（かいもく）見当がつかなかったが、しかし、それを仕掛けたのは、ほかでもないミスタ、あの汗臭い獣のような男。

（あいつも成長したもんだな）

　そうひとりごちる。体中から力が抜けていくのがわかる。肩に据（す）えたライフルがカタリと音を立てて床に落ちた。足が体重を支え切れずに、がくりと折れ曲がる。そして、リガトニと呼ばれた男は、仰向きのまま床にゆっくりと倒れ込んだ。

　長い一生だった。その最後にふさわしい。そう思った。

ミスタに向かって突き進んだリガトニの弾丸は、〈パブリック・イメージ・リミテッド〉のコントロールを失い、大きく軌道をそれた。とは言え、そのスピードはまだ衰（おとろ）え切ってはいない。

リガトニの放った弾丸が、その勢いのままミスタの肩に食い込んだ。吹き上がる血飛沫（ちしぶき）が衝撃を待ち構えていたミスタの顔にかかる。

「うぐゥ」

ミスタは思わずうめき声をあげた。

「しっかりしてください、ミスタ！」

後ろに大きく倒れ込もうとするミスタを、ジョルノが後ろから支える。すでに威力が半減していたとは言え、その効果は恐るべきものだった。ミスタほどに鍛えていない素人（しろうと）が弾を受けたなら、この程度ではすまなかったはずだ。まともにこめかみに食らっていたならば、間違いなく脳の半分以上を木（こ）っ端微塵（ぱみじん）に吹き飛ばされていたことだろう。

残りの力をふり絞（しぼ）って、ミスタは、ボートのエンジンを切る。スピードを徐々に落としたボートは、サン・マルコ寺院の前まで来ると、ゆっくりと止まった。正面の大きな白い柱に、ゴツンと音を立ててぶつかる。ボートの底が階段をこするキーッという音。

すると、床に取りつけられたジッパーがスーッと音を立てて開き、なかに避難していたブチャラティとトリッシュが顔を出した。

「まあ、ひどい怪我(けが)！」

ミスタの肩を見て、トリッシュが小さな悲鳴をあげて、駆けつける。

「これくらいの傷、なんてことはねえよ」

顔をしかめながら、ミスタが言う。

「それに、ジョルノがいりゃ、これくらいの傷、すぐに直しちまうよ」

「僕は、みんなの専属医師じゃありませんよ」

そう言って、ジョルノは口元に笑みを浮かべた。

「あいつらは……」

ミスタが肩口を押さえながら、甲板(かんぱん)に倒れているアバッキオとナランチャの方を振りかえると、

「いまは気を失ってるみたいだが、大丈夫そうだ。ほら、あれを見ろ」

ブチャラティが指差した先には、〈エアロスミス〉の銀色の機体が、月明かりを浴びて光っている。それは〈パブリック・イメージ・リミテッド〉によって奪われたナランチャのスタンドパワーがリガトニの死によって戻ってきたことを証明していた。

「よかった……」

思わず大きなため息をつくトリッシュ。

「いや、これからが本番ですよ」

「そうだな」

ジョルノの言葉に、ブチャラティがうなずいた。

ジョルノとブチャラティは、サン・マルコ寺院の前に立った。目の前には、入口が大きな口を開けて待ち構えている。それは、まるで地獄へ向かう巨大な門のようにも見えた。

第7章

六角形や三角、あるいは四角。さまざまな幾何学模様が交錯する大理石の床。色とりどりのモザイクがはめ込まれた床は、サン・マルコ寺院に入ってきた観光客を満足させるのに十分だ。さらに、壁にはきらびやかな、これまたモザイクでできた壁画の数々。聖マルコの遺体を見つけた総督ヴィターレ・ファリエルや、ヘロデ王を誘惑した絶世の美女サロメ、エルサレムに入城するキリスト……。時代も年代もまちまちの、しかし美しく荘厳なモザイク画の数々。

そして、ゆったりとしたアーチを描く柱から天井へと目を向けていけば、その先にはキリストの昇天を描いた丸天井が広がる。

暗闇のなかに光る、4人の天使。その中央には、虚空に向かって、両手を広げながら昇っていくキリストが見える。彼の足元には、聖母マリアと12人の使徒たち。わずかな明かり取りから入る月の光が、壮大なパノラマを空中に描き出していた。

ヴェネツィアが誇る巨大な〝サン・マルコ寺院〟。

しかし、いま、この空間には人の姿は見当たらない。

次々と押し寄せる観光客や礼拝者たちは誰もいなかった。

そのかわり……。そのかわり、その金色に輝く暗闇のなかに、巨大な——そうキリスト昇天図の描かれた丸天井を覆わんばかりに大きな影が立ちすくんでいた。

真っ白な体から立ち昇る、異様な臭気。両腕は大きく前に突き出され、その指先からはそれぞれ3本、両手で6本の爪が顔をのぞかせる。顔の左右に大きく開かれた口からは、床をぬめぬめと濡らしながら垂れている黄色い唾液とともに、胸の悪くなるような悪臭が〝フシュー、フシュー〟と音を立てて吐き出されている。もともと大きかった耳は、ピンクと言うよりはオレンジに近い色に染まり、足元から後ろに向かってピンと伸びた巨大な尻尾とともに、大きく揺れていた。

額と両手の甲、そして両耳の先端についている小さな宝石は、血のように真っ赤な、禍禍しいまでに真っ赤な光で辺りを照らし出していた。

「なんとか間に合いましたね、フーゴ」

全身をラバースーツに包んだその小さな男は、隣にいた金髪の少年に言う。

声をかけられた少年は、その言葉に返事をすることもなく、目の前に現われた巨大な怪物を見つめていた。

「これであとはヤツらが来れば、一丁上がりだ」

顔までぴっちりとラバーで包まれているため、男の声は少々聞き取りにくい。

「いや、最後まで油断しない方がいいと思いますよ、ソリョラ」

「そうですかな？　こんな怪物を相手に、ヤツらになす術（すべ）がありましょうか？」

「あなたが呼んだヒットマン——リガトニとかいう男も結局、ブチャラティたちには勝てなかった」

少年の言葉に、ラバースーツの男は不快そうに顔をしかめた。

「アイツにブチャラティたち全員が倒せるなんて、もともと思っちゃいませんよ。とは言え、5人のうち3人までを戦闘不能に追い込んだんですから、上出来と言えるんじゃないでしょうかね。それに第一、勝負は時の運、とも言うじゃないですか」

「時の運、ですか。さすが博打（ばくち）打ちだけのことはある」

遠慮のないフーゴの言葉に、男は苛立（いらだ）ちを隠さない。

「わたしは負けない勝負しかしない主義でしてね」

「フン」

男の言葉に、フーゴは鼻を鳴らす。そして、ここで初めて隣の男をまっすぐ見つめて、こう言った。

「……本当に、負けないとお思いになりますか？」

このラバースーツの男こそ、今回の事件の首謀者、ソリョラ・ロペス本人だ。頭の先から爪先まで、収縮自在なゴムで包まれた姿は、まるで潜水中のダイバーか、それともＳＭ趣味のボンデージ・ファッションを思い起こさせる。

しかし、本人にはジョークのつもりはまるでない。いやむしろ、ラバースーツはこの場にいるための、最低限必要な装備と言えた。

サン・マルコ寺院の中央に立つ巨大な怪物。その巨体のなかでひときわ目をひくのは、なによりも瞳である。片方は充血したような赤、もう片方は鈍く光る金色。その金色の瞳の中央には、暗い紫色の炎が燃えあがっている。直視するだけで気絶してしまいそうな、そんな邪気を存分に湛えた瞳が、どこを向くということはなく、じっと宙に注がれていた。

怪物は〈ザ・キュアー〉だった。

コニーリオの膝の上でのんびりと寝転がっていたあのスタンドは、彼女のコントロール

を離れ、暴走を始めていた。
〈ザ・キュアー〉の特殊能力はもともと、人の〝痛み〟や〝悩み〟を吸収するというものだ。しかし、吸い込んだ〝痛み〟はどこへ消えてしまうのか。空のかなたへ消散してしまうのか。そんなはずはない。

　吸い込まれた〝痛み〟や〝悩み〟は、そのまま〈ザ・キュアー〉の体内に蓄積される。水底に沈む泥のように、何重にも重なり渦巻く〝痛み〟。普段ならば、それらはコニーリオの日々の生活のうちに発散されていくはずだった。

　しかし、今回の事件を通して、許容量を越えて蓄積された大量の〝痛み〟は、〈ザ・キュアー〉の内部で大きく脹らみ巨大化していた。それは同時に、コニーリオ自身の〝痛み〟もまた、大きく脹らみ増殖する、ということを意味する。次々と現われる死者たちを前に、彼女の神経はギリギリのところまで追い詰められた。そして、燃えあがる家を前に、忍耐の糸が切れる。

　そのとき、彼女はひたすら〝痛み〟からの解放を願った。

　遊園地で配られる風船のようにパンパンに脹らんだ〝痛み〟は、一気に離散し、ヴェネツィアの街中に広がった。と、同時に彼女のスタンド〈ザ・キュアー〉そのものも巨大化したのである。

〈パープル・ヘイズ〉のウイルスを周囲に撒き散らしながら、〈ザ・キュアー〉は、ヴェネツィアの街を闊歩した。ウイルスの濃度は、すでに元の〈パープル・ヘイズ〉のそれをはるかに上まわっている。〈ザ・キュアー〉が通ったあとには、次々と人々が倒れ、苦しげなうめき声をあげて死んでいった。

突然の停電に団欒を中断された家族、短いバカンスを過ごすためにやってきた数多くの観光客たち……。コニーリオのコントロールを離れた〈ザ・キュアー〉は、ただひたすら本能の赴くままに歩みを進め、行く先々にウイルスをばら撒き続けた。

その巨大な背中に、意識を失ったコニーリオを乗せたまま……。

とは言え、全身からウイルスを撒き散らすだけの〈ザ・キュアー〉に、目的などあるはずもない。大鐘楼から鳴り響く鐘の音は、怪物をおびき寄せるための仕掛けだった。もちろんそれはブチャラティたちを導くためのトラップでもあった。

これらはもちろんすべて、ソリョラによって巧妙に仕組まれた計画である。直接手を下すこともなく、真綿で首を締めるようにじっくりと攻める。まさに長年ヴェネツィアの街を支配してきた、策士ソリョラらしい計画と言えた。

彼がいま、身につけている特注のラバースーツは、寺院のなかに蔓延した〈パープル・

〈ヘイズ〉のウイルスから身を守るための手立てだった。本来なら、こんな窮屈なラバースーツなんぞを着込んで、現場に立っているのは彼の性に合わなかった。できれば、海岸沿いに建つ別荘にでもいて、ワイン片手に報告を待ちたいところなのだが……。しかし、スタンド・キラーとして呼び出したあの〝リガトニ〟ですら倒してしまうほどの強敵だ。念のために、自ら赴いてよかった。ヤツらの最期を見届けるというのも、そうそう悪い考えじゃない。

そんなふうにソリョラは思っていた。

*

〈パブリック・イメージ・リミテッド〉との戦いで倒れたミスタ、それにまだ完全に意識を取り戻したわけではないナランチャとアバッキオ、そしてトリッシュを〈亀〉のなかに休ませ、ブチャラティとジョルノは人気もなく、静まり返った寺院のなかへと侵入した。針を落とす音さえ聞こえそうなほどの圧倒的な静けさ。周囲を警戒しながら、その静けさのなかをゆっくりと進んでいく。

しばらくすると、ふたりは、礼拝堂に続く巨大な扉にたどり着く。目を交わし、扉に手をかけるジョルノとブチャラティ。

「1、2、3！」

かけ声とともに扉を開けたふたりが目にしたのは、この世のものとは思えない凄惨な光景だった。

折り重なるように倒れている人、人、人。顔が青黒く変色し、あらぬ方向に曲がった手足が、通路のあちこちに投げ出されている。観光客か、それとも礼拝者たちか。タールのような粘り気のある液体が、辺り一面にぶちまけられ、足の踏み場もない。

その人の山から、まるで読経のようなくぐもった声が発せられ、寺院のなかに響きわたっている。よく聞くと、それは折り重なった人々のうめき、叫び、悲鳴……だった。

「……‼」

「こ、これは！」

思わず顔を見合わせるブチャラティとジョルノ。

「〈パープル・ヘイズ〉の威力とは、恐ろしいものですね」

ジョルノが言う。しかし、ブチャラティはその言葉に、首を横に振った。

「たしかに〈パープル・ヘイズ〉のウイルスのように見える。しかし、これは……」

さらに言葉を継ごうとしたときだった。

「ぐおわああああああああああ」

この世のものとは思えない、壮絶な叫び声があたりに響きわたる。と、ドシンドシンとなにかが床を踏みしめる音が近づいてきた。

「!!」

顔を上げたふたりが見たのは、金色の光のなかに立つ巨大な怪物の影だった。

「今夜のゲストがようやくやって来ましたよ」

そう言って、ソリョラがニヤリと笑う。といっても、横に立つフーゴからは、ラバースーツの下の顔が少し歪んだようにしか見えなかった。

「さて、お手並み拝見、といきましょうか」

「なんなんだ、一体!?」

そうブチャラティが口を開いた途端、怪物が消えた。と、次の瞬間、ブチャラティは横っとびに吹っ飛んでいた。

「は、速いッ!!」

ジョルノは思わず声を出していた。驚くのも当たり前だった。その巨大な化け物は、20メートルほどの距離を一気に飛び越え、ブチャラティをなぎ倒したのだ。

吹き飛ばされたブチャラティは、聖堂を支える巨大な柱に向かって宙を舞う。

「〈スティッキィ・フィンガーズ〉ッッ！」

空中でなんとか体勢を取り戻しながら、〈スティッキィ・フィンガーズ〉を起動させる。柱に体がぶつかる直前、両手でジッパーを持つと、一気に柱の背後にまわり込んだ。ジッパーのついている部分がハラリと開き、柱はバラバラに解体される。

間一髪、柱への直撃は免れたものの、床にしたたか体をぶつける。

そんなブチャラティを嘲るかのように、〈ザ・キュアー〉が飛びかかった。続けざまに繰り出される爪。右へ左へ、必死に体を転がせながら避ける。爪が床をえぐるたびに、割れたモザイクが顔に飛び散り、細かな傷をつくった。

必死の思いで追撃を避け続けるブチャラティ。だが、絶え間なく〈ザ・キュアー〉の体から発せられるウイルスは、確実に彼の体のなかに入り込み、動きを鈍らせていく。

「ううっ！」

ついに〈ザ・キュアー〉の爪先が、ブチャラティの腹部をかすめる。指先が痺れ、ふとした瞬間に目の前が暗く翳る。吐き出す息が熱い。

息継ぐ暇もないほど立て続けに繰り出される攻撃に、次第にブチャラティは追いつめられていた。

一方、ジョルノは怪物の背中に乗っている小さな影に目を止めた。

(あれは、なんだ?)

激しくブチャラティを追い詰める〈ザ・キュアー〉の背中にしみのように見える、人の影。と、腕が大きく振りあげられた反動で、その影が転がり落ちた。

(人だ! それも女の子だぞ!!)

慌(あわ)てて駆け寄るジョルノ。少女はすっかり気を失っているようだったが、頭にコブができている以外、これといった外傷はない。

「おい、しっかりしろ!」

2度、3度と軽く頰(ほお)をはたく。

「う、うん……」

汗ばんだ髪が揺れる。と、少女は突然目を開けた。ガバッと体を起こすと、

「ここはッ!?」

そして、目の前の男に大きく目を見開く。

「大丈夫。気を失っていただけだ」

ジョルノがやさしく声をかける。

「あ、あなたは……？」

少女がそう言おうとしたまさにそのときだった。

彼女の目の前を巨大な白い物体が横切った。

「!!」

〈ザ・キュアー〉の手は、横ざまにジョルノをひっつかむと、そのまま宙高くへと持ちあげていく。

「うおおおおお」

ギリギリと、ものすごい圧力でジョルノの体が締めつけられる。

「きゃあッ、やめてッ!!」

少女の訴えに耳を貸すこともなく、その巨大な手は攻撃を止めることはない。

「うひゃひゃひゃひゃ」

ラバースーツのなかで、老人が笑う。全身を痙攣（けいれん）したように震わせて、喜びを表わしている。

「ほら、言わんこっちゃないだろう！」

ソリョラとフーゴは、寺院の２階に張り出したバルコニーにいた。ここからであれば、大聖堂の広間――ブチャラティたちと〈ザ・キュアー〉の戦っている様子を一望にできる。ソリョラは、手すりから身を乗り出すようにして戦いの行方を見守っていた。新しいおもちゃをもらった子供のようだな、そうフーゴは思う。

すでに形勢は決まりかけていた。ブチャラティは、〈ザ・キュアー〉の激しい攻撃と〈パープル・ヘイズ〉のウイルスによって、すでに床から起きあがることもできない。一方のジョルノは、その〈ザ・キュアー〉の強烈な攻撃に、息をつぐこともできない。勝負はほぼ決まったも同然だった。

「行けッ！　行けーッ!!」

勢いをつけるかのように、バルコニーの手すりに激しく叩きつけられるソリョラの両手。まるで、自分の買った馬券が当たるようにと大騒ぎしている競馬ファンのようにも見えるが、本人にしてみれば、これもまたゲームのひとつなのかもしれない。ただし賭けられているのは、ほかでもない人の命なのだが。

と、そのとき、なにかが弾けるようなパンという音が辺りに響いた。

「ん？」

自分の手を見るソリョラ。

「……あ、あ、穴がッ！」

頑丈なラバースーツに開いた小さな小さな穴。しかし、それはソリョラにとって致命傷になりかねなかった。この部屋に蔓延している強い濃度のウイルスから身を守ってくれる唯一の手段が、このラバースーツなのだから。

なんとか穴を埋めようと、ゴム生地のあちこちを引っ張るソリョラ。しかし、焦って表面をこするたびに、どんどんと穴が広がっていく。

「おや、どうしました、ソリョラさん」

その様子を見て、フーゴは思わず笑い出しそうになった。

ソリョラは、そんなフーゴの呼びかけにも応えようとはせず、必死にラバースーツのなかで体をモゾモゾと動かしている。汗をかき始めたのか、スーツのあちこちからキュッキュッとゴムのこすれる音がする。そうこうしているうちに、ソリョラはかけていたゴーグルを脱ぎ捨てて、吹き出す汗を拭った。

「ソリョラさん、ゴーグル、ゴーグル!!」

「んんッ!?」

ウイルス防護のためにかけていたゴーグルを、自ら外してしまっては元も子もない。

「うおおおお」

すっかりパニックに陥ったソリョラを落ちつかせようと、フーゴは男の肩に手を置いた。

「ひええッ」

置かれた手を慌てて振り払うソリョラ。

「ちょっとそりゃないだろ、あんた」

突然、フーゴの声に怒気がこもる。それに気づいて、ソリョラは少し落ちつきを取り戻したようだった。この男、怒らせてはまずい。

「あ……ああ。だ、大丈夫だ。とにかくほとんど決着はついたようなもんだ。あとは、君に任せるよ。じ、じゃあ、先に戻るぞ!!」

足早にバルコニーから外へ抜ける非常口に去っていくソリョラをフーゴは目で追った。そして、ちらりと下で行なわれている戦闘を一瞥すると、やれやれといった調子でつぶやく。

「そんなにうまくはいかないと思いますよ、ソリョラさん」

そうつぶやくと、フーゴは再び夜の闇に姿を消した。

*

非常口から控えの部屋に向かう渡り廊下に出る。地中海から吹きつけてくる爽やかな風が心地よい。ようやく生きかえった気がする。

控えの部屋では、部下たちが着替え用の洋服を持って、待機しているはずだった。身にまとっているだけで不愉快なラバースーツ――ブヨブヨと体に張りつく感触が、あの見るもおぞましい白い化け物の姿を思い出させる。ソリョラは、一刻も早くこのスーツを脱ぎ捨てたかった。心なしか、足早になる。

控えの部屋と言っても、ただの空き部屋ではない。ギャングたちとつきあいのある司教――もちろん、ヴェネツィアの教会もソリョラたちの支配下だ。教会は、カジノ以上に重要な資金源になる――の部屋だった。わずかな家具とテーブル、いかにも清潔そうなベッド。司教の人柄を反映してか、最小限の調度品しか置かれていない。待機しているはずの部下たちの姿が見えなかったが、

(ふん、あのクソどもめ。また、どっかでさぼっているに違いない)

としか思わなかった。なにはともあれ着替えが用意されていれば、文句はない。

部屋に入るなりソリョラは、真っ黒なラバースーツを脱ぎ捨てた。素早く体をチェックするが、どこにも異常はなさそうだ。

「よし、大丈夫だな」

そう言うと、体のあちこちをパンパンとはたく。

まだヴェネツィアの街は暗闇に包まれている。しかしそれも、あと数時間だろう。今回

の騒動では、多くの住人を巻き込むことになったが、ソリョラはまるで気にならなかった。

(ヴェネツィアとも、これでおさらばだ)

ボス直々(じきじき)の難題をクリアした自分には、いままで以上の地位が用意されているのは間違いない。そう確信する。

忌(い)まわしい思い出しか残っていないこの土地を離れて、本土のどこかへ移ることになる。ヴェネツィアよりもはるかに利権の集まる場所、とすれば、トリノかミラノ、あるいはトリエステか。まさかローマなんてことはないだろうが、もしそうだとしたら……。ソリョラは、思わずこぼれてくる笑みを抑(おさ)えることができない。


薄汚ない路地でひとりの少年が泣いている。

さんざん殴られたのだろう、少年の顔はあざだらけになっている。膝(ひざ)には大きな切り傷ができていて、血がどくどくと地面に流れ落ちていた。

その少年は、ソリョラ自身だった。

毎日のようにいじめられ、虐(しいた)げられ続けた少年の日々。その苦い感触を、ソリョラは忘れたことはない。

(あいつらを見かえしてやる。いつか、あいつらを俺の足元にひざまずかせてやるッ!)

近所のガキ大将たちが、彼の足元にひれ伏した様子を思い浮かべて、溜飲をさげた。いまは想像することしかできないけれど、いつか、いつか必ず！　その思いだけが、彼をここまで突き動かしてきたのだ。

ギャンググループに入ったのも、そのため。気に入らない仲間を蹴落とし、ときには汚ない手を使って這いあがってきたのも、そのため。自ら希望して、〈矢〉の試験を受けたのも、それだけのためだ。

俺はいつか頂点に立つ。その頂きから世界を見下ろしたときに、ようやくあの屈辱の数数を忘れることができる。

彼はそう信じていた。


「クックックッ」

ようやく待ち望んでいたそのときがきた。喜びに、ソリョラは全身を震わせる。

確かに、頂点に立つことはできなかった。しかし、両手に余るほどの権力と金が俺にはある。ヴェネツィアにくすぶっていることもない。気の利かない部下を脅して歩く必要もない。それに、もうしばらくすれば引退だ。あとは、地中海に別荘でも買ってのんびりと暮らすことにしよう。そうだ、今夜は家でお気に入りのボトルでも開けようか。

ラバースーツの下に着ていたスウェットを脱ぎながら、そう考える。と、ベッドの上に用意された新着のスーツに着替えようとしたソリョラの手が止まった。

キレイに折りたたまれたスーツの上の黒い塊（かたまり）。

蜘蛛（くも）だった。

ジッポ・ライターほどの大きさの黒い蜘蛛。毛むくじゃらの8本の脚（あし）を器用に動かし、我が物顔でスーツの上を這（は）いまわっている。

「誰だ、こんなところに蜘蛛を入れたのは。せっかくの下ろしたてが台なしじゃないか‼」

慌ててまわりを見まわすが、誰もいない。まったく……。

「誰か！　誰か居（お）らんのか‼」

憎々しげに蜘蛛を睨（にら）みながら、そう怒声をあげる。

と、部屋の戸口にふたりの男がサッと現われた。

「どうかしましたか？」

若い方の男が、ソリョラに声をかける。

「この役立たずたちめ！　俺の大事なスーツの上に、見ろ、こんなでかい蜘蛛が這いずりまわってるじゃないか‼　まったく、クソどもめ！　せっかくのいい気分が台なし……⁉」

言いかけたソリョラは、振り向いた先にいるふたりの男を見て、愕然（がくぜん）とした。ジョルノ

とブチャラティ——先ほどまで、あの化け物ウサギに翻弄されていたふたりがなぜ⁉

「そんなに驚かれることはないと思うが」

いたって真剣な面持ちで応えたのは、ブチャラティだ。

「なぜだッ！　俺の計画は完璧だったのにッ‼　あのウイルスのなかでなぜ生きていられる⁉」

そんなソリョラの言葉を聞いて、ジョルノとブチャラティは顔を見あわせて笑みを浮かべた。

「完璧なんて言葉は存在しない」

ソリョラの方へ一歩近づきながらブチャラティが言う。

「〈パープル・ヘイズ〉のウイルスを使って、俺たちをハメようとしたんだろうが、そう簡単に事は運ばなかったんだ。確かに、あの少女を使って〈パープル・ヘイズ〉のパワーを増幅させることを思いついたまではよかった。だが……」

ブチャラティの後をついで、ジョルノが言う。

「たぶんフーゴはあなたに重要なことを伝え忘れていたんですよ」

「じゅ、重要なこと……？」

「僕には、〈パープル・ヘイズ〉のウイルスが効かないんです」

「なにッ!!」
ソリョラは驚きのあまり、声を失っていた。

ジョルノが〈パープル・ヘイズ〉のウイルスに感染したのは、ポンペイにある遺跡都市でのことだった。ボスからの指令により〝悲劇詩人の家〟と呼ばれる場所に『鍵』を取りに向かったときのことだ。

〝悲劇詩人の家〟に向かったアバッキオとフーゴ、それにジョルノの3人は、組織を裏切ったイルーゾォという男の襲撃に遭う。イルーゾォのスタンド、〈マン・イン・ザ・ミラー〉は、鏡の世界と現実の世界を自在に行き来し、彼らを窮地に陥れた。鏡の世界には、イルーゾォの許可した存在しか侵入できない。イルーゾォの策にはまり、スタンドと本体を切り離された3人は、〈マン・イン・ザ・ミラー〉の攻撃に対抗することすらできなかった。

フーゴのスタンド〈パープル・ヘイズ〉が暴走したのは、そのときのことだ。本人のコントロールを超えたところで発現する〈パープル・ヘイズ〉は、敵味方関係なく、あたりにウイルスを撒き散らした。ウイルスの感染を避けるため、イルーゾォは、鏡の世界へと遁走する。

しかしジョルノは、自らウイルスに感染しながら、イルーゾォの後を追った。ジョルノから逃れるように、再び現実の世界へ戻ったイルーゾォだが、そこにはあの〈パープル・ヘイズ〉が待ち構えていた……。

さて、ウイルスに感染したはずのジョルノが生き残ったのはなぜか。なんと彼は、ウイルスに感染すると同時に、〈ゴールド・エクスペリエンス〉の能力を使い、レンガを蛇に変えていた。ウイルスのいるところで生まれた蛇には、最初からウイルスに対する抗体ができている。その抗体からできたワクチンを使えば、ウイルスを退治できる……。計算されつくした行動によって、ジョルノは自らの命を救い、任務を成功に導いたのだった。

もちろん、ソリョラはそんな事件を知るよしもない。〈パープル・ヘイズ〉は〝皆殺しウイルス〟だ、という噂を鵜呑みにしていた。まさか、その〝皆殺しウイルス〟に勝つ者がいたとは、知るはずもなかった。

「僕には〈パープル・ヘイズ〉のウイルスが効かない。抗体ができてるんですよ。フーゴはきっと、そこまで計算に入れて、今回の計画に参加したんでしょう」

ジョルノの口から飛び出した言葉に、ソリョラは息をするのも忘れていた。

(なぜだ！　誰よりも頭のいいこの俺が、なぜッ!!)

「つまりフーゴは、組織を裏切ることなく、かつ僕たちも裏切らないような、そんな綱渡りを〝選び取った〟というわけです」

ジョルノの言葉にブチャラティがうなずく。そして、最後にこうつけ加えた。

「フーゴは、どうやらお前に心底腹が立ったらしい。組織も俺たちも裏切らなかったかわりに、肝心(かんじん)のお前さんだけは裏切ったわけだからな！」

ブチャラティの声が、ソリョラの頭を激しく打つ。

(う、裏切られた？　この俺が？　あの小僧に？)

ソリョラは、じっと自分の手を見下ろす。

(すべてうまくいっていたはずなのに……すべて……)


そのときだ。ソリョラは、ふたりを見据(みす)えてこう言い放った。

「まだだ！　まだ勝負は終わりじゃねぇ!!」

それは一瞬の出来事だった。ソリョラは、右手を自分の胸に、左手をベッドに軽く触れる。と、次の瞬間、ソリョラの姿は掻(か)き消(き)え、ベッドが宙を舞った。

こちらに倒れかかるベッドを避けようと、横に飛ぶジョルノとブチャラティ。

「なにッ!?」

大きな音を立ててベッドが倒れると、その向こうに不敵な笑みを浮かべたソリョラがしゃがみ込んでいた。その様子からは、さきほどまでの焦りは消え失せ、どことなく余裕すら感じられる。

「確かに俺の作戦は失敗だったらしい」

ニヤリと笑うソリョラ。皺だらけの顔が、より一層不気味に見える。

「だがな、クズども。お前らに殺されるほど、俺は耄碌しちゃあいねえ!!」

最後のセリフを言うか言わないかのうちに、再びソリョラの姿が掻き消えた。

「どうなってるんだ、一体!」

辺りを見まわしながら、ブチャラティが叫ぶ。

ジョルノは、先ほどまでソリョラのいた場所に駆け込むと、素早く床を調べる。

「下、ヤツはもう下にいます、ブチャラティ!」

その言葉を聞くやいなや、ブチャラティは部屋の外に飛び出していた。ジョルノも、その後を素早く追いかける。

「ブチャラティ、ヤツは物を入れ替える能力を持っているんです!」

前を走るブチャラティに向かって、ジョルノが声をかけた。

「運河で発泡スチロールと機雷を入れ替えたり、ベッドと自分の体を入れ替えたり。間違

いありません」

ブチャラティは、足を止めずにジョルノの言葉にうなずく。

「正面からぶつかっても、逃げられる公算が高い、というわけか」

ブチャラティはそう言うと、ふいに足を止めた。


（まったく、あのクソどもがッ！）

そう毒づきながら、ソリョラは寺院の裏口に向かって急いでいた。

左右の手に触れたものを入れ替える〈ジョイ・ディヴィジョン〉の能力。それを自分自身に使うことで、ソリョラは危機を脱したのだ。床と自分の体を入れ替え、下の階に逃げ込む。昔、チンピラだった頃に使った手が、まさかこんなところで役に立つとは思いもしなかった。

（クソッ、大失敗だ。だが、ここでヤツらに殺されるわけにはいかない。とにかく、とにかくいまは、安全な場所まで逃げなければ……）

次々と回廊を抜け、寺院の奥に向かうソリョラの顔に、ひとしずくの汗が光る。

（この老体に、長距離走はキツい）

走り続けていたソリョラは、速度を緩めると、大きく息を吐いた。

(だがもうあとわずか。この廊下を走り切れば、出口だ)

まだ安心はできないが、これだけ距離を稼げば大丈夫だろう。そう思って、顔をあげる。

廊下の先、大きく開いた裏口のところに人影が見える。

部下が待ってるのか？　いや……いや違う!!

その人影は、ブチャラティの仲間、ミスタとかいう男だった。資料で見た通りの、いかにも凶暴そうな雰囲気を漂わせている。

(は、挟み撃ちか!?)

と、次の瞬間、彼の右耳を鋭い風が切り裂いた。

「な、なにッ!?」

思わず耳を手で押さえる。ドクドクと激しく脈打っているのがわかる。

「まずは最初の挨拶ってとこだ」

そう言うと、再びリボルバーを構えるミスタ。2発、3発……。次々と銃弾が吐き出され、ソリョラの体をかすめるように飛んでいく。

(こ、ここまで来てッ!)

素早く壁に寄り、再び〈ジョイ・ディヴィジョン〉を発動させようと構える。

「いまだ、ブチャラティ!」

(ブ、ブチャラティ!?)

思いがけない名前を耳にし、手が止まった、その瞬間だった。

「〈スティッキィ・フィンガーズ〉ッ!」

その叫び声と同時に、ソリョラの足元にぽっかりと穴が開いた。地下にいたブチャラティが、〈スティッキィ・フィンガーズ〉を使って、床に穴を開けたのだ。

バランスを崩したソリョラの体が、グラリと揺れた。今にも穴に落ちようとしたとき、彼の目は頭上に垂れていたロープのようなものをとらえる。

(あれにつかまればッ!)

最後の力を振り絞り、ロープに向かって飛びかかるソリョラ。と、不思議なことに、ロープが向こうから勝手に延びてくるように見えた。

いや、目の錯覚ではない。ロープに見えたものは、緑色のツタだった。それも、ジョルノの〈ゴールド・エクスペリエンス〉によって生み出されたツタ……。

ソリョラが手を伸ばしている間にも、ツタはグネグネと触手のように延び、ついにソリョラの腕に巻きつく。巻きつくやいなや、腕を締めつけるツタ。ふと、足元を見ると、そこには〈スティッキィ・フィンガーズ〉によってつくりだされた穴が、ぽっかりと大きな口を開けていた。

（は、ハメられたッ！）

宙吊りにされた状態では、〈ジョイ・ディヴィジョン〉でツタを消し去るわけにもいかない。

後悔していた間にも、蔓は腕だけでなく、背中から首、そして顔を覆おうとしていた。

それだけではない。ツタのあちこちから飛び出ていた青い芽が脹らみ始め、やがてこぼれるように小さな花を咲かせると、その花もあっという間に枯れていく。そしてまた、新たな芽が芽吹き……。

まるで高速回転のビデオを見るように、グングンとツタは成長を続けていた。ついに、締めつけられた腕がボキリと嫌な音を立てる。

「それにしても、なんの関係もない人を巻き込んだお前のやり方は、気に入らないな。まったく気に入らない。どう落とし前をつけるつもりなのか聞きたいのは山々だが……」

いつの間にやら現われたブチャラティが、そう言いながら近づいてくる。その隣には、ジョルノとミスタの姿が見えた。

「ゴボゴボゴボッ！」

命乞いをしたつもりだったが、首を取り巻いた緑のツタが、すでに彼の喉を潰していた。

ソリョラに向かって、すっくと突き出されたブチャラティの右手。その後ろに浮かぶ影を見たソリョラの顔から、一瞬にして血の気がひいた。

ソリョラはこのときほど、自分がスタンド使いでなければよかったと思ったことはない。

(スタンド使いでなければ！)

(スタンド使いでなければ！)

〈スティッキィ・フィンガーズ〉を見たソリョラは、これから自分がどうなってしまうのかが手に取るようにわかった。彼を待っているのは、ただひとつ〝死〟だった。

言い尽くせない恐怖が、喉元に迫(せ)りあがる。

(スタンド使いでなければ！　スタンド使いでなければ！　スタンド使いでなければ！)

ソリョラの脳裏(のうり)に、ひたすらその言葉だけが繰り返される。

そしてその言葉は、何度も繰り返されるうちに、ドス黒い炎となって燃えあがり、激しい火花を散らした。

そうだッ！　スタンド使いだからこそ生き延びられるんじゃないかッ!!

「〈ジョイ・ディヴィジョン〉！」

ソリョラは老人とは思えない気迫を込めて、自らのスタンドを呼び出した。それは、死

を目前にした人間だからこそ生み出せる恐るべき力だった。

ソリョラの両手が、しつこく絡(から)まるツタの間をくぐり抜けて、ブチャラティに向かって差し延ばされる。

(俺とお前を入れ替えれば、入れ替えちまえば——〝N qi鴻粁卍#z〟!)

〈ジョイ・ディヴィジョン〉の手が、まさにブチャラティに触れようとしたそのとき。

すぱん! と空気の裂けるような痛快な音があたりに響いた。

一瞬の出来事だった。〈スティッキィ・フィンガーズ〉の繰り出したパンチは、いくらスタンド使いであるソリョラの目にも映らなかった。

最初のパンチがソリョラの右目に食い込む。

2発、3発、4発……。目にも止まらぬスピードで繰り出される拳(こぶし)は、ソリョラの顔面を叩き潰していく。彼は自分の顔が拳で崩れていくことさえ気づかなかった。

「アリーベデルチ(さよならだ)」

ブチャラティはそう言うと叫んだ。

「アリリぃ!!」

〈スティッキィ・フィンガーズ〉が繰り出す拳の嵐。

ソリョラは、〈ジョイ・ディヴィジョン〉はなす術(すべ)なく、サンドバックのようにただ殴られ続けるだけだった。

「アリ・リ・リぃ!!」

サン・マルコ寺院の裏手から聞こえた、ソリョラのか細い悲鳴はじきに止(や)んだ。

＊

ちょうど同じ頃、スキアヴォーニ河岸から1艘(そう)のゴンドラがゆっくりと地中海に向かって漕(こ)ぎ出(だ)されていた。乗っているのは、金髪の少年、パンナコッタ・フーゴ。まだ暗い夜の海を照らし出す、ゴンドラに掲げられた小さなランプの明かり。

サン・マルコ寺院のバルコニーから、ブチャラティとジョルノはその姿を見つめていた。

その明かりは、大海原に乗り出していくには、あまりにも心細い。

「ありがとう、そしてさようなら。パンナコッタ・フーゴ」

そうジョルノがつぶやいたときには、もう明かりは遠く離れ、闇のなかに紛(まぎ)れて見えなくなっていた。

interlude

海鳥が飛んでいる。

ゴンドラに体を任せているうちに、朝がすぐそこまでやってきていた。穏やかな海の向こう、水平線から朝日がいまにも顔を出そうとしている。潮の匂いが心地いい。

フーゴは、今、大海原の只中にいた。嚙んでいたミントの葉を、海に吐き出す。息を大きく吸い込むと、爽やかな朝の空気が胸に流れ込んでくる。


計画を立てたのは、あの背の小さな老人だった。人の〝痛み〟や〝悩み〟を吸い込む能力を持つあの少女——肩のところで切り揃えた美しい髪の少女を、今回の事件の重要人物としてピックアップしたのもソリョラだ。ヤツは、ヴェネツィアに住むスタンド能力の持ち主を片っ端からリストアップしていて、彼女もその分厚いファイルから選び出された。

彼女のスタンドに〈パープル・ヘイズ〉のウイルスを吸収させ、増幅させたうえで、ヴェネツィア中にばら撒く。ギャングに無関係の住人や観光客を巻き添えにして。

その計画を初めて聞いたとき、フーゴはただ胸糞の悪さだけを覚えていた。

確かに、僕はブチャラティたちと袂(たもと)を分かち、組織へと舞い戻った。だから、組織の命令に対して従わなければならないのも当然だ。それが組織というものだし、ルールを守らない者は粛清(しゅくせい)される。

これまで行動をともにしてきた戦友たちを自分の手で殺すこと。それは、半(なか)ば覚悟していたことだ。裏切り者のグループから〝戻ってきました〟といって、ただで済むほど、組織は甘くない。

しかし、彼には納得がいかなかった。

そのためなら、裏切り者を殺すためなら、なにをしてもいいのか。なんの関係もない人たちを巻き込んでもいいのか、と。

今回の計画を嬉々(きき)として話すソリョラを前にして、彼はある事実に気づいた。〈パープル・ヘイズ〉のウイルスは決して無敵ではない。そして、コニーリオという少女のスタンド能力は、まだ完全に開花したわけではない、ということを。

フーゴの頭のなかで、計画を構成するさまざまな要素が、猛スピードで組み合わされ、計算されていく。そして〈パープル・ヘイズ〉の抗体(ワクチン)を持ったジョルノさえいれば——。

そうだ、これなら、いける。

結果的に、彼は組織を裏切ることになるかもしれなかった。しかし彼は、目の前で嬉々

として大量殺人を企てる老人を許すことができなかった。なんとしても計画を阻止すること。それが、かつての戦友たちへの最後の餞（はなむけ）だった。

　ゆっくりと姿を現わした朝日の眩（まぶ）しさに、思わず目をつむる。まぶたの裏には、ここ数日の出来事が次々と浮かんでは消えていく。

　あの少女は立ち直ることができるだろうか。

　ブチャラティたちは、ボスの元へとたどり着くことができるだろうか。

「きっとできるはずだ」

　声に出して言う。特に、ジョルノ――あの驚くべき機転と行動力で、ややもするとバラバラになってしまいそうなブチャラティたちのグループをまとめあげた、あの男の力をもってすれば、難しいことなどなにもない。きっとそうだ。

　正直に言えば、ブチャラティたちと別れたことにはなんの後悔（こうかい）もしていない。フーゴは、あのとき自分の正しいと思う選択肢（せんたくし）を選び取った。ブチャラティや仲間たちも、決してそのことを責（せ）めはしないだろう。

　しかし、決定はいくらでもやり直すことができる。最初とは違うやり方になってしまうかもしれないけれど、チャンスは必ずめぐってくる。

知性と野性のなかで激しく揺れ動くフーゴは、このとき、そのふたつを越えるものに気がついた。知性や暴力を越えて、僕たちの行く先を指し示すもの。

それは、僕たちに差し出された無数の選択肢、そこからただひとつの答えを選び取る勇気だった。

第8章

ヴェネツィアの事件からしばらくして、新しい都市伝説が生まれた。

〝荒野に建つ教会〟。民俗学を専攻する学生たちの間で、一時よくもてはやされたその物語は、こんな話だった。

舞台は荒野だ。

ひとりの少年が、友人の家から帰る途中、その荒野に迷い込んでしまう。岩と草ばかりで体を休ませる場所もない荒野を、少年はさ迷う。あてもなくさ迷い、涙も出尽くした頃、疲れ果てた少年は、その場に倒れ込んでしまう。

と、そこにひとりの女性が現われる。まだ若い、美しい女性。その女性は、少年を揺り起こすと、近くのあばら家へと案内する。見た目は確かにあばら家だったが、屋根の上には小さな鐘が取りつけられており、すぐ横には小さな庭もあった。庭には純白の小さなウサギが見えたという。

〝そこは小さな天国だった〟多くの人々は、そう話す。

家に通された少年は、塩のスープと固いパンを与えられ、ゆっくり休むよう勧(すす)められる。そのあとその女性は、庭のウサギを呼び寄せると、自分の膝(ひざ)の上に乗せ、少年にどこか痛いところはないか、と訊(き)く。痛いところを指差すと、彼女はゆっくりとそこをさする。すると、みるみるうちに痛みは消え去ったという。次に女性は、なにか悩みはないか、と訊く。悩みを訴えるうちに、少年はなぜ自分がそんなことで悩んでいたのだろう、と思う。すっかり元気を取り戻した少年は、その家のベッドで横になる。

しかし、目が覚めると、そこは家のすぐ側(そば)のベンチで、あれは夢だったのだろうかと思う。


話によっては、舞台が砂漠だったり、海の孤島だったりとまちまちで、それにしたがって主人公の年齢や職業も少しずつ違い、なかには女性を主人公にしたものも、少数ながら存在していた。しかし、迷っているところを助けられ、ウサギのいる家で過ごし、悩みを打ち明けたり病気を治してもらったあと自分の家に戻る、という大まかなストーリーはどの話にも共通していた。

癒されたいという願望の表われだとか、自然に帰ろうとする欲求の顕現だとか、愚にもつかない仮説がいろいろと提出されたが、結局は一時の流行だったのだろうか、それから数年もすると、学会で取り沙汰されることもなくなってしまった。

しかし、これはつくり話でもなければ、流言のたぐいでもない。

これはコニーリオのその後の話である。

＊

コニーリオがサン・マルコ寺院で目を覚ましたとき、その少年は巨大な白い化け物に体をつかまれ、振りまわされていた。いま、目の前で繰り広げられている光景が信じられず、何度も頭を振った。しかし、その少年の背後から金色に輝く男が現われた。

いや〝男〟というのは違うかもしれない。人間の形をしてはいるが、はるかに敏捷に動きまわっている。金色の男は現われるなり、目も眩むようなスピードで、白い巨大な怪物に攻撃を加える。

そこで、コニーリオは気づいた。男が攻撃している白い怪物――聖堂の天井まで届こうかという巨大な化け物が、〈ザ・キュアー〉、幼い頃から彼女につき従っていた小さなウサギの成長した姿であることに。

　金色の男は、何度も激しく拳（こぶし）を出すが、大きく脹（ふく）れあがった〈ザ・キュアー〉の胴体には、まるで効果がないようだった。まるで水で脹らんだ風船を何度も指で弾（はじ）いているような……。

　そう、〈ザ・キュアー〉は、自分に与えられるダメージすらも体内にとり込み、成長を続けていたのだ。その証拠に、攻撃を加えられる間も、〈ザ・キュアー〉の体は着実に大きくなっていた。

　彼女がようやく目の前の状況を把握（はあく）できたときだった。〈ザ・キュアー〉につかまれていた少年が突然、大きな声をあげる。

「ブチャラティ！　彼女が危ない!!　彼女を守ってください！」

　声がかけられた方を見ると、そこにはひとりの男が立っている。オカッパの形に切り揃（そろ）えられた髪、奇妙な紋様が入り、あちこちに大きなジッパーがつけられた白いスーツ。しかし、そのスーツもいまではボロボロに切り刻まれている。しかも、あの〝症状〟が彼を襲っていた。

　青黒く張れあがった右腕……。すでにウイルスは彼の体のなかに入り込み、時間とともに増殖（ぞうしょく）を続けているようだった。しかし、男は怯（ひる）まなかった。恐ろしいまでの忍耐力によ

って、コニーリオに向かって歩いてきた。

「大丈夫か、どこか怪我はないか？」

そう口を開くが、いまにも倒れそうに見える。

彼女は迷った。また同じ目に遭いたいの？　今回もまた？

しかし、そのときひとつの声が彼女の脳裏に蘇った。

「助けるんだ……君には彼らを助ける能力がある」

あの少年の声……。暗闇に浮かびあがった、どこか悲しげな瞳……。

そう、私には彼らを助けることができる!!

「〈ザ・キュアー〉!!」


彼女の声が聖堂いっぱいに響いた。

と、〈ザ・キュアー〉はジョルノを攻撃する手を止める。懐かしい友の声に耳を澄ますように、じっと顔を傾けている。

「〈ザ・キュアー〉！　あなたの力が必要なのッ。お願い、元に戻って！」

コニーリオがそう叫んだ次の瞬間だった。〈ザ・キュアー〉の体から激しい風が吹き起こった。その風に乗って、たくさんの綿毛が舞い上がり、聖堂のアーチをいっぱいに満たしていった。そして、毛の一本一本がキラキラと輝き出したかと思うと、ふいに光が消え、そして……。

「ふうッ」

風に吹き飛ばされまいと、柱につかまっていたジョルノは大きく息をついた。

ふわふわと大量の白い毛が雪のように降りしきるなか、さきほどまで〈ザ・キュアー〉がいた場所に目を向ける。しかし、そこには怪物の姿はなく……そのかわりに、床に座り込んだ少女の膝の上に、まるでそこが定位置であると主張するかのように、耳の大きな白い生き物が座っていた。耳の先についている青い宝石が、夜空の星のようにキラリと光った。

その隣では、ブチャラティが天井から舞い降りてくる大量の白い毛を眺めていた。さきほどまでウイルスの感染により醜く脹れあがっていた腕は、まるで嘘のように元通りになっていた。

*

この土地も2か月になる。もうそろそろ次の場所を考えなければ……。

ここは、アメリカのイリノイ州。地図にも載っていないような小さな村。ハイウェイから少しはずれた、まだまだ緑の多い地域だった。

辺りには一面の畑が広がっている。大きく息を吸い込めば、青々とした干草の匂いが胸を脹らませる。遠くからはトラクターの低いうなり声。これまで暮らしてきた土地のなかでも、これほど素晴らしい場所はない。心からそう思う。

コニーリオは、ヴェネツィアの事件のあと、まずアメリカへ旅立った。ローマに残してきた母のことが心配じゃなかったと言うと嘘になるけれど、それよりなにより、あの忌まわしい事件のことで頭がいっぱいだった。

償い。彼女にとって重要なのは、それだけだった。

翌日の新聞には、デカデカと事件のことが報じられていた。「無差別テロ再び?」その見出しに続いて、１００人を越える犠牲者のリストが並んでいた。わたしが救おうとして救うことのできなかった人々。ホテルの同僚だったウィノナ、病院で小さな命を失った少女、そしてヴェネツィアの街のあちこちに倒れていた人々。救えたはずなのに、救えなかった。それは、後悔しても、し切れるものではなかった。

しかし、彼女はあの事件で大きな教訓を得た。

わたしはわたしができることを、最善の方法でやろう。

わたしには、なぜか人の〝痛み〟や〝悩み〟を取り除く能力がある。それを使わずにいるのは、きっと違う。わたしはこの、不思議な力を使おう。

もちろんこの力にも限界はある。ヴェネツィアでの出来事は、そのために起きた悲劇だった。彼女は自分の能力をよく知らず、知ろうともしてこなかった。

その失敗は償わなければならない。一生をかけて。

だからこそ、彼女は知らない土地に旅立った。わたしのことを知らない人たちに、わたしの能力を使う。なにが起きるかはわからない。失敗するかもしれないし、うまくいくかもしれない。でも、それでよかった。

びくびくするのは、もうやめだ。

旅先で嫌(いや)な思いをすると、思い出す言葉がある。

「君は、今回の事件でひどく苦しんだと思う、僕たちの仲間がやったことだ、でも、聞いてくれ、人はすべてを救えるわけじゃない、選択肢(せんたくし)は多すぎて、世界はあまりにも複雑だ、どの選択が正しくて、どの選択が間違っているかなんて、僕にも君にも、まったくわからない……」

サン・マルコ寺院でその少年は、ひと息にこう言った。

そして、〝わかるかな〟とでも言うように彼女の目を見つめると、

「ただ、どれだけ酷い目に遭っても、自分で選び取ること、それこそが大事なことなんだ、いや、わからないな。僕は間違ってるかもしれない。でも――」

てんとう虫の大きなブローチをした、不思議な少年。彼の澄んだ瞳を見ていると、彼が本心からその言葉を口にしていることがわかった。

黄金の光。

澄んだ金色の一条の光が彼女――コニーリオの心のなかに、差し込む。

ジョースター家の者たちだけが持つ、誇り高き血。その流れが、この少年のなかにも間違いなく流れていた。そして、その美しい光はコニーリオの心にも、大きな波紋を描いた。

コニーリオは気づくことはない。

彼女の血にもその黄金の光がほんのわずか混じっていることに。

これから先も決して。

しかし、血と血は共鳴しあい、そしてまた新たな光を生み出していく。

「僕たちは、戦いの道を選び取った。でも、僕はそのことを恥じていない。君もそう思ってほしい。本当にそう祈っているよ！」

彼はそう言うと、黒髪の青年とともに、聖堂を出ていった。彼らは最後の決戦へと向かう。コニーリオは、その壮絶な決意を彼らの後ろ姿から感じ取っていた。しかし、彼らの後ろ姿は、これまでに会ったすべての人々より、はるかに神々しかった。

彼らの戦いの道は、たぶん、あの黄金の光に導かれているのだろう。

そして彼女は思うのだ。

彼らが彼らの戦いに向かうように、わたしはわたしの戦いに赴こう、と。

■初出

ゴールデンハート／ゴールデンリング　　　書き下ろし

ジョジョの奇妙な冒険Ⅱ

2001年5月31日　第1刷発行
2022年10月8日　第9刷発行

著　者●荒木飛呂彦　宮昌太朗　大塚ギチ

編　集●株式会社 集英社インターナショナル
〒101-8050　東京都千代田区一ツ橋2-5-10
TEL　03-5211-2632(代)

装　丁●亀谷哲也

発行者●瓶子吉久

発行所●株式会社 集英社
〒101-8050　東京都千代田区一ツ橋2-5-10
TEL　03-3230-6297(編集部)　3230-6393(販売部・書店専用)　3230-6080(読者係)

印刷所●大日本印刷株式会社

ISBN4-08-703103-9 C0093

検印廃止